어휘력 향상에 꼭 필요한 필수 낱말 총정리

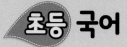

초등 국어
일등급 어휘력

이 책을 추천합니다.

▶▶ 평소에 아이가 책을 많이 접하고 자주 읽게 하려고 노력하는 편인데, 다양한 책을 읽다 보면 당연히 알고 있을 것이라고 생각했던 쉬운 어휘를 모르는 경우가 종종 있었습니다. 그래서 어휘 공부의 필요성을 느끼고 있다가 추천 받은 이 책에서는 한자어, 고유어, 다의어, 동음이의어 등 다양한 기초 낱말과 한자 성어, 속담, 관용어 같은 어려운 내용까지 함께 배울 수 있어서 좋았습니다.

여러 가지 어휘를 모두 다루고 있어서 생각보다 많은 어휘가 들어 있지만, 그림도 있고 짤막한 예문과 문제로 이루어져서 아이가 지루하지 않게 공부할 수 있었습니다. 풍부한 어휘력을 기초부터 다져 나갈 수 있는 좋은 책이라고 생각합니다.

— 이미정 (안산초등학교 3학년 학부모)

▶▶ 지금까지 따로 국어 어휘 공부를 시켜 본 적은 없었는데, 아이가 초등학교 고학년이 되면서 긴 글을 읽을 때 독해력이 조금은 부족한 것 같았습니다. 어휘력이 먼저 기본이 되어야 독해력도 올라갈 것이라는 생각에 이 책으로 어휘 공부를 시작했는데, 어휘를 효과적으로 익힐 수 있어서 이 책을 시작하길 잘했다는 생각이 듭니다.

한 회가 3회로 나누어져 있어서 세부 계획을 세워 매일매일 공부하기에 좋았고, 어휘를 공부한 뒤 제대로 학습했는지를 다시 체크하는 체크 박스도 유용하게 활용하였습니다. 먼저 어휘를 익히고 확인 학습을 푼 다음에 부록의 어휘력 테스트까지 3단계로 공부하니, 아이에게 자연스럽게 반복 학습이 되는 점이 가장 좋았습니다.

— 황이숙 (고은초등학교 6학년 학부모)

▶▶ 탄탄한 어휘력은 독해의 기본입니다. 길고 어려운 글을 독해할 때 우리는 어휘를 중심으로 내용을 유추하며 맥락을 파악합니다. 그러나 탄탄한 어휘력을 쌓는 일은 단시간에 문제를 많이 푼다고 이루어지는 것이 아닙니다. 평소에 좋은 글을 많이 접하고, 어휘가 문장 안에서 어떤 의미로 사용되고 있는지, 이를 대체할 낱말들에는 무엇이 있는지를 곰곰이 생각해 보는 연습이 필요합니다.

물론 처음 시작은 어려울 수 있습니다. 하지만 교과서에서 선별한 다양한 어휘가 실린 이 책으로 초등학생 때부터 낱말의 뜻을 스스로 생각해 보는 꾸준한 연습을 통해 어휘의 기본기를 다진다면, 앞으로의 국어 공부에 큰 도움이 될 것이라고 생각합니다.

– 신주용 (서울대 자유전공학부 19학번)

▶▶ 제가 공부를 하며 깨달았던 것은 모든 학습은 결국 기초를 다지는 것부터 시작한다는 점입니다. 수능 국어 지문들은 점점 더 복합적이고 난해하게 변화하고 있으며, 이를 이해하기 위한 독해력은 하루 이틀 공부한다고 생겨나는 것이 아닙니다. 단순히 책을 많이 읽는 것이 아니라, 가능한 이른 시기부터 체계적으로 준비해야 합니다.

즉 초등학생 때부터 어휘를 알고, 문장을 이해하고, 문단과 구조를 파악하는 연습이 꾸준히 이루어져야 합니다. 기초부터 다진 풍부한 어휘력에서 오는 자신감은 국어뿐만 아니라 다른 과목의 학습에 있어서도 큰 도움이 되리라고 생각합니다. 다양한 어휘를 내 것으로 만들어 이해하려는 연습은 앞으로의 공부에 든든한 기초가 될 것입니다.

– 한송현 (고려대 경제학과 19학번)

'일등급 어휘력'으로 어휘력과 학습 능력을 키워 보세요!

초등 국어

일등급 어휘력

6

이 책으로 공부해야 하는 이유

 하나

어휘력은 곧 학습 능력

- **어휘력이 중요한 이유** 초등학생 때는 다양하고 낯선 낱말을 익히는 시기입니다. 이때 형성된 어휘력이 생각하는 힘을 길러 주며, 모든 학습 능력의 기초가 됩니다.

- **어휘력 향상 학습 시스템** 교과 어휘와 심화 어휘를 모두 익히는 이 책의 학습 시스템과 알차고 풍성한 내용으로 어휘력을 확실히 키울 수 있습니다.

 둘

805개의 풍부한 낱말 제시

- **교과서 중요 낱말 수록** 각 과목의 기초를 이해하고 학습하는 데 필요한 국어, 사회, 과학 교과서 중요 낱말을 모두 모아 표제어로 다루었습니다.

- **꼼꼼하고 풍부한 어휘 학습** 표제어의 뜻풀이에 등장하는 어려운 낱말을 풀이하고 유의어 · 반의어를 추가로 제시하여, 더욱 풍부한 어휘 학습이 가능합니다.

 셋

다양한 유형별 낱말 총 망라

- 교과서와 교과서 밖에서 다양한 유형의 낱말을 골고루 모아 구성하였습니다.

   교과 어휘 교과서에 수록된 필수 어휘 선별

   한자어 / 고유어 학년별 국어, 사회, 과학 교과서에서 배우는 꼭 알아야 하는 낱말

   다의어 · 동음이의어 여러 가지 뜻을 지녔거나, 형태는 같지만 의미는 다른 낱말

   심화 어휘 어휘력 향상에 필수적인 중요 어휘 선별

   관용 표현 주제별로 분류된 한자 성어 · 관용어 · 속담

   헷갈리기 쉬운 낱말 형태가 비슷하여 잘못 사용되기 쉬운 낱말

 넷

학습 계획에 따라 단기간, 장기간 모두 활용 가능한 학습 시스템

- **단기 학습을 원하는 경우** 24회로 나뉜 학습 시스템에 따라 단기간 집중 학습으로 24일 만에 어휘력을 빠르게 향상할 수 있습니다.

- **꼼꼼한 학습을 원하는 경우** 한 회를 3회로 쪼개서 매일 조금씩 장기간에 걸쳐 꼼꼼히 어휘 공부를 할 수 있습니다.

이 책의 구조와  활용법

1 스스로 점검하며 **어휘 익히기**

1. 유형별로 제시된 **표제어의 뜻풀이**를 살펴봅니다.

2. 제시된 예문을 읽으며 **낱말이 문장 속에서 어떻게 쓰이는지**를 익힙니다.

3. 어휘쏙, 유의어, 반의어를 익히며 **어휘력을 확장**합니다.

4. 낱말 옆의 **체크 박스를 활용**하여 확실히 아는 낱말에 체크하고, 완벽하게 익히지 못한 낱말은 복습합니다.

2 문제를 풀며 **실력 다지기**

1. **다양한 유형의 문제**를 풀며 배운 낱말을 확인합니다.

2. 교과서 수준보다 더 어려운 **심화 어휘를 골고루 익히고** 문제에 적용할 수 있습니다.

3. 어휘의 사전적 의미와 문맥적 쓰임, 상황에 어울리는 표현 등을 **이해하고 있는지 평가**합니다.

4. 틀린 문제의 낱말은 뜻과 예문을 다시 살펴봅니다.

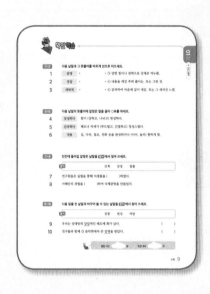

3 어휘력 테스트로 **실력 완성하기**

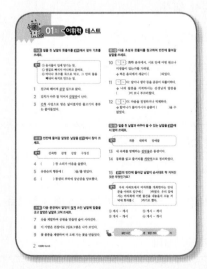

1. 본문의 회차와 대응되는 **24회의 테스트로 학습 내용을 점검**합니다.

2. 간단한 문제를 풀며 **본문에서 학습한 낱말을 다시 한번 익혀서** 완전히 자신의 것으로 만듭니다.

3. 채점하여 점수를 기록하고, **틀린 문제의 낱말**은 본문에서 뜻과 예문을 다시 살펴봅니다.

이 책의 차례

교과 어휘 - 한자어

간곡하다
懇 정성 간 | 曲 굽을 곡

태도나 자세가 간절하고 정성스럽다.
예 그는 간곡하게 용서를 빌었다.

간척
干 방패 간 | 拓 헤칠 척

바다나 호수를 둑으로 막고, 그 안의 물을 빼내어 육지로 만드는 일.
예 이곳은 간척 사업으로 육지를 넓혔다.

어휘 쏙 둑 하천이나 호수의 물이 넘치는 것을 막기 위해 흙이나 콘크리트 등으로 만든 시설물.

감명
感 느낄 감 | 銘 새길 명

감격하여 마음에 깊이 새김. 또는 그 새겨진 느낌.
예 최선을 다하는 그의 모습이 우리에게 감명을 주었다.

유의어 감동 크게 느끼어 마음이 움직임.

강성하다
強 강할 강 | 盛 성할 성

힘이 강하고 번성하다.
예 우리는 그들의 강성한 세력을 실감했다.

어휘 쏙 번성 한창 성하게 일어나 퍼짐.

강압
強 강할 강 | 壓 누를 압

강한 힘이나 권력으로 강제로 억누름.
예 나는 그의 강압을 이길 수 없었다.

유의어 억압 자기의 뜻대로 자유로이 행동하지 못하도록 억지로 억누름.

개략적
概 대개 개 | 略 간략할 략 | 的 과녁 적

내용을 대강 추려 줄이는. 또는 그런 것.
예 그는 일단 개략적인 내용만 정리하였다.

유의어 대략적 대강의 줄거리로 이루어진 또는 그런 것.

개통
開 열 개 | 通 통할 통

길, 다리, 철로, 전화 등을 완성하거나 이어 통하게 함.
예 도시에 새로운 철도를 개통하였다.

검출
檢 검사할 검 | 出 날 출

화학 분석에서, 시료 안에 어떤 원소나 미생물이 있는가를 가려냄.
예 약수터에서 유해 물질이 검출되었다.

어휘 쏙 시료 시험, 검사, 분석 등에 쓰는 물질이나 생물.

1-3 다음 낱말과 그 뜻풀이를 바르게 선으로 이으세요.

1 감명 •

2 강압 •

3 개략적 •

• ㉠ 강한 힘이나 권력으로 강제로 억누름.

• ㉡ 내용을 대강 추려 줄이는. 또는 그런 것.

• ㉢ 감격하여 마음에 깊이 새김. 또는 그 새겨진 느낌.

4-6 다음 낱말의 뜻풀이에 알맞은 말을 골라 ○표를 하세요.

4 강성하다 힘이 (강하고, 나뉘고) 번성하다.

5 간곡하다 태도나 자세가 (부드럽고, 간절하고) 정성스럽다.

6 개통 길, 다리, 철로, 전화 등을 완성하거나 (이어, 눌러) 통하게 함.

7-8 빈칸에 들어갈 알맞은 낱말을 보기 에서 찾아 쓰세요.

| 보기 | 간척 강성 검출 |

7 연구원들은 실험을 통해 미생물을 ( )하였다.

8 서해안의 갯벌을 ( )하여 국제공항을 만들었다.

9-10 다음 밑줄 친 낱말과 바꾸어 쓸 수 있는 낱말을 보기 에서 찾아 쓰세요.

| 보기 | 감동 번성 억압 |

9 우리는 상대방의 강압적인 태도에 화가 났다. ( )

10 친구들과 함께 간 음악회에서 큰 감명을 받았다. ( )

걸린 시간 분 맞은 개수 개

교과 어휘 - 고유어

간추리다

① 흐트러진 것을 가지런히 바로잡다.

예) 바닥에 떨어진 책들을 **간추려** 책장에 꽂았다.

② 중요한 점만을 골라 간략하게 정리하다.

예) 수업 내용을 **간추려** 공책에 필기하였다.

> **유의어** 요약하다 말이나 글의 요점을 잡아서 간추리다.

감칠맛

음식물이 입에 당기는 맛.

예) 엄마가 해 주신 반찬은 **감칠맛**이 났다.

거무튀튀하다

너저분해 보일 정도로 탁하게 거무스름하다.

예) 주전자가 그을려서 **거무튀튀했다**.

> **어휘 쏙** 너저분하다 질서가 없이 마구 널려 있어 어지럽고 깨끗하지 않다.

거침없다

일이나 행동이 중간에 걸리거나 막힘이 없다.

예) 나는 **거침없이** 밖으로 나갔다.

> **유의어** 유창하다 말을 하거나 글을 읽는 것이 물 흐르듯이 거침이 없다.

걸림돌

일을 해 나가는 데에 걸리거나 막히는 장애물을 이르는 말.

예) 그의 반대는 우리 일에 **걸림돌**이 되었다.

> **유의어** 장애물 가로막아서 거치적거리게 하는 사물.

곧장

① 옆길로 빠지지 아니하고 곧바로.

예) 우리는 학교가 끝나고 **곧장** 집으로 향했다.

② 곧이어 바로.

예) 그는 인사를 하고 **곧장** 사라져 버렸다.

> **유의어** 바로 시간적인 간격을 두지 아니하고 곧.

곱씹다

말이나 생각 등을 곰곰이 되풀이하다.

예) 나는 그의 말을 **곱씹어** 생각하였다.

> **유의어** 되새기다 지난 일을 다시 떠올려 골똘히 생각하다.

구성지다

천연스럽고 구수하며 멋지다.

예) 멀리서 **구성진** 피리 소리가 들렸다.

1-3 다음 뜻풀이에 알맞은 낱말을 보기 에서 찾아 쓰세요.

> 보기   거무튀튀하다   거침없다   곱씹다   구성지다

1   천연스럽고 구수하며 멋지다.   (   )

2   너저분해 보일 정도로 탁하게 거무스름하다.   (   )

3   일이나 행동이 중간에 걸리거나 막힘이 없다.   (   )

4-6 다음 밑줄 친 낱말과 바꾸어 쓸 수 있는 낱말을 찾아 바르게 선으로 이으세요.

4   그의 거침없는 말솜씨에 모두 놀랐다.   •   • ㉠ 되새기는

5   나는 아까의 상황을 계속 곱씹는 중이었다.   •   • ㉡ 요약하는

6   글의 줄거리를 간추리는 과정이 오래 걸렸다.   •   • ㉢ 유창한

7-9 다음 낱말이 들어갈 문장을 찾아 바르게 선으로 이으세요.

7   감칠맛   •   • ㉠ 선생님은 (   ) 우리 반으로 오셨다.

8   걸림돌   •   • ㉡ 우리의 관계에 그가 (   )은 아니었다.

9   곧장   •   • ㉢ 된장국의 (   )이 좋아서 다시 끓여 먹었다.

10   보기 의 밑줄 친 낱말의 뜻풀이로 알맞은 것의 기호를 쓰세요.

> 보기   나는 가방 안의 서류를 간추려서 봉투에 넣었다.

㉠ 흐트러진 것을 가지런히 바로잡다.
㉡ 중요한 점만을 골라 간략하게 정리하다.

걸린 시간 (   ) 분   맞은 개수 (   ) 개

심화 어휘 – 헷갈리기 쉬운 낱말

개량
改 고칠 개 | 良 어질 량

나쁜 점을 보완하여 더 좋게 고침.
예 연구소에서는 농작물의 품종 개량을 연구하고 있다.

계량
計 셀 계 | 量 헤아릴 량

분량이나 무게를 재서 알아냄.
예 빵을 만들 때는 정확한 계량이 중요하다.

개발
開 열 개 | 發 필 발

① 토지나 천연자원 등을 개척하여 유용하게 만듦.
예 우리나라는 산림 자원 개발에 힘쓰고 있다.
② 지식이나 재능을 발달하게 함.
예 선생님은 학생들의 잠재 능력 개발을 위해 노력하셨다.
③ 새로운 물건을 만들거나 새로운 생각을 내어놓음.
예 회사에서는 신제품 개발에 몰두하였다.

계발
啓 열 계 | 發 필 발

슬기나 재능, 사상 등을 일깨워 줌.
예 상상력 계발을 위해서는 책을 읽는 것이 중요하다.

걷잡다

① 잘못 진행되어 가는 기세를 바로잡다.
예 조그마한 산불이 걷잡을 수 없이 커져 갔다.
② 마음을 진정하거나 억제하다.
예 나는 속상한 마음을 걷잡지 못하고 눈물을 흘렸다.

겉잡다

겉으로 보고 대강 짐작하여 헤아리다.
예 이 일은 겉잡아도 한 달은 걸릴 것 같다.

개시
開 열 개 | 始 비로소 시

행동이나 일 등을 시작함.
예 지휘관은 작전 개시를 명령하였다.

게시
揭 들 게 | 示 보일 시

여러 사람에게 알리기 위하여 내걸어 두루 보게 함.
예 우리는 합격자 명단을 게시하여 사람들에게 알렸다.

확인 학습

▶ 정답 28쪽

1-3 다음 낱말과 그 뜻풀이를 바르게 선으로 이으세요.

1 개량 ·　　　　　　　　· ㉠ 행동이나 일 등을 시작함.

2 개시 ·　　　　　　　　· ㉡ 나쁜 점을 보완하여 더 좋게 고침.

3 계발 ·　　　　　　　　· ㉢ 슬기나 재능, 사상 등을 일깨워 줌.

4-6 빈칸에 들어갈 알맞은 낱말을 보기 에서 찾아 쓰세요.

> 보기 　　　　개량　　　계량　　　걷잡아　　　겉잡아

4 물의 양을 정확히 (　　　　)하여 컵에 부었다.

5 정부는 주택을 (　　　　)하는 자금을 지원하였다.

6 이번 예산은 (　　　　) 지난번 예산의 두 배는 될 것이다.

7-8 다음 문장에 알맞은 낱말을 골라 ○표를 하세요.

7 그는 자신의 의견을 다른 사람들이 볼 수 있게 (게시, 개시)하였다.

8 우리는 버려진 토지를 (개발, 계발)하여 새롭게 쓸 수 있도록 만들었다.

9-10 다음 글에서 잘못된 부분을 찾아 바르게 고쳐 쓰세요.

> 우리는 그들의 잘못을 알리는 내용을 모두 써서 교문 앞에 개시하였다. 그러자 자신들도 같은 피해를 당했다는 학생들이 계속 나타나면서, 겉잡을 수 없이 사건이 커졌다.

9 (　　　　) ➔ (　　　　)

10 (　　　　) ➔ (　　　　)

걸린 시간 　　　 분　　　 맞은 개수 　　　 개

🐙 교과 어휘 - 한자어

_{과학}

검토
檢 검사할 검 | 討 칠 토

어떤 사실이나 내용을 분석하여 따짐.
예 우리는 사업 계획을 **검토** 중이다.

> 유의어 검사 어떤 일이나 사실의 옳고 그름이나 사물의 좋고 나쁨을 살피거나 조사함.

_{국어}

격언
格 격식 격 | 言 말씀 언

이치에 꼭 맞아 인생의 교훈이 될 만한 짧은 말.
예 나는 좋은 **격언**을 들으면 꼭 적어 두었다.

> 유의어 명언 이치에 맞는 훌륭한 말.

_{사회}

경공업
輕 가벼울 경 | 工 장인 공 | 業 업 업

무게가 가벼운 물건을 만드는 공업으로, 섬유 공업, 식품 공업 등이 있다.
예 가방이나 신발을 만드는 산업은 **경공업**이다.

> 반의어 중공업 무게가 비교적 무거운 물건을 만드는 공업으로, 제철업, 조선업 등이 있다.

_{국어}

경어
敬 공경 경 | 語 말씀 어

상대를 공경하는 뜻의 말.
예 부모님은 서로 **경어**로 말씀하신다.

> 유의어 높임말 사람이나 사물을 높여서 이르는 말.

_{국어}

경지
境 지경 경 | 地 땅 지

몸이나 마음, 기술 등이 어떤 단계에 도달해 있는 상태.
예 그의 실력은 이미 예술적인 **경지**에 도달했다.

_{국어}

고갈
枯 마를 고 | 渴 목마를 갈

① 물이 말라서 없어짐.
예 우리는 식수의 **고갈**을 걱정하고 있다.
② 물자나 자금 등이 매우 귀해져서 달리거나 없어짐.
예 그 기업은 자금의 **고갈**로 어려움을 겪고 있다.

> 반의어 해갈 목마름을 해소함.

_{사회}

고령
高 높을 고 | 齡 나이 령

나이가 많음. 또는 그런 나이가 된 사람.
예 할아버지는 **고령**이지만 체력이 좋으셨다.

> 반의어 유년 어린 나이나 때. 또는 어린 나이의 아이.

_{사회}

고소
告 고할 고 | 訴 호소할 소

범죄의 피해자가 범죄 사실을 수사 기관에 신고하여 그 수사를 요구하는 일.
예 그는 사기를 벌이다가 **고소**를 당했다.

▶ 정답 28쪽

1-3 다음 뜻풀이에 알맞은 낱말을 【보기】에서 찾아 쓰세요.

> **보기**
> 검토   경지   고갈   고소

1 물자나 자금 등이 매우 귀해져서 달리거나 없어짐.   (   )

2 몸이나 마음, 기술 등이 어떤 단계에 도달해 있는 상태.   (   )

3 범죄의 피해자가 범죄 사실을 수사 기관에 신고하여 그 수사를 요구하는 일. (   )

4-6 다음 밑줄 친 낱말과 바꾸어 쓸 수 있는 낱말을 찾아 바르게 선으로 이으세요.

4 그의 말은 가슴에 와닿는 <u>격언</u>이었다.   •   • ㉠ 검사

5 <u>경어</u>를 사용하면 서로 존중할 수 있다.   •   • ㉡ 높임말

6 우리는 철저한 <u>검토</u>를 통해 불량품을 줄였다. •   • ㉢ 명언

7-9 다음 낱말이 들어갈 문장을 찾아 바르게 선으로 이으세요.

7 경공업 •   • ㉠ 올해 수자원의 (   )이 심각한 상태이다.

8 고갈 •   • ㉡ 우리 사회에 (   ) 인구가 많아지고 있다.

9 고령 •   • ㉢ (   )이 발전하면 국가의 경제가 좋아진다.

10 다음 중 짝 지어진 낱말의 관계가 나머지와 <u>다른</u> 것의 기호를 쓰세요.

> ㉠ 검토 - 검사   ㉡ 경공업 - 중공업   ㉢ 고갈 - 해갈   ㉣ 고령 - 유년

걸린 시간   분   맞은 개수   개

교과 어휘 - 고유어

국어

굳건하다

뜻이나 의지가 굳세고 건실하다.
예 그는 굳건하게 자신의 의지를 지켜냈다.

유의어 강건하다 의지나 기상이 굳세고 건전하다.

국어

그득하다

빈 데가 없을 만큼 사람이나 물건 등이 아주 많다.
예 바구니 안이 과일들로 그득했다.

유의어 가득하다 빈 데가 없을 만큼 사람이나 물건 등이 많다.

국어

기껍다

마음속으로 은근히 기쁘다.
예 친구가 화해를 청해서 기껍게 받아들였다.

국어

까무러치다

얼마 동안 정신을 잃고 죽은 사람처럼 되다.
예 나는 너무 놀라서 까무러칠 뻔했다.

유의어 기절하다 두려움, 놀람, 충격 등으로 한동안 정신을 잃다.

과학

꺼리다

자신에게 해가 될까 하여 피하거나 싫어하다.
예 그는 남 앞에 나서는 것을 꺼리는 성격이다.

유의어 기피하다 꺼리거나 싫어하여 피하다.

국어

꾸부정하다

매우 구부러져 있다.
예 꾸부정한 자세 때문에 허리가 아팠다.

국어

낌새

어떤 일을 알아차릴 수 있는 눈치.
예 아무래도 낌새가 이상하여 긴장하고 있었다.

어휘 쏙 눈치 남의 마음을 그때그때 상황으로 미루어 알아내는 것.

국어

나부끼다

가벼운 물체가 바람을 받아서 가볍게 흔들리다.
예 거센 바람에 깃발이 나부끼고 있다.

유의어 휘날리다 거세게 펄펄 나부끼다.

1-3 다음 낱말과 그 뜻풀이를 바르게 선으로 이으세요.

1 굳건하다 •

2 기껍다 •

3 나부끼다 •

• ㉠ 마음속으로 은근히 기쁘다.

• ㉡ 뜻이나 의지가 굳세고 건실하다.

• ㉢ 가벼운 물체가 바람을 받아서 가볍게 흔들리다.

4-6 다음 낱말의 뜻풀이에 알맞은 말을 골라 ○표를 하세요.

4 낌새 어떤 일을 알아차릴 수 있는 (명령, 눈치).

5 꺼리다 자신에게 (해, 성과)가 될까 하여 피하거나 싫어하다.

6 그득하다 빈 데가 없을 만큼 사람이나 물건 등이 (조금, 아주) 많다.

7-8 빈칸에 들어갈 알맞은 낱말을 보기 에서 찾아 쓰세요.

> 보기   기꺼운   까무러치는   꾸부정한

7 나는 자신이 없어서 (   ) 어깨를 더 움츠렸다.

8 그가 갑자기 기운을 잃고 (   ) 바람에 모두 놀랐다.

9-10 다음 밑줄 친 낱말과 바꾸어 쓸 수 있는 낱말을 보기 에서 찾아 쓰세요.

> 보기   가득하고   강건하고   휘날리고

9 나는 성품이 <u>굳건하고</u> 곧은 그를 좋아했다. (   )

10 강한 바람에 머리카락이 계속 <u>나부끼고</u> 몸이 휘청거렸다. (   )

걸린 시간   분   맞은 개수   개

심화 어휘 – 주제별 한자 성어

★ 변덕이 심함

부화뇌동
附 붙을 부 | 和 화목할 화 | 雷 우레 뇌 | 同 같을 동

줏대 없이 남의 의견에 따라 움직임.
예 그는 남의 말에 **부화뇌동**하며 결정을 못했다.

조령모개
朝 아침 조 | 令 명령할 령 | 暮 저물 모 | 改 고칠 개

아침에 명령을 내렸다가 저녁에 다시 고친다는 뜻으로, 법령을 자꾸 고쳐서 갈피를 잡기가 어려움.
예 법이 **조령모개**로 바뀌면 국민들이 적응하기 어렵다.

조변석개
朝 아침 조 | 變 변할 변 | 夕 저녁 석 | 改 고칠 개

아침저녁으로 뜯어고친다는 뜻으로, 계획이나 결정을 일관성이 없이 자주 고침.
예 명령이 수시로 **조변석개**하여 우리는 일을 진행할 수 없었다.

★ 겉과 속이 다름

구밀복검
口 입 구 | 蜜 꿀 밀 | 腹 배 복 | 劍 칼 검

말로는 친한 듯하나 속으로는 해칠 생각이 있음.
예 그의 말이 **구밀복검**일지 몰라서 계속 경계했다.

면종복배
面 낯 면 | 從 좇을 종 | 腹 배 복 | 背 등 배

겉으로는 복종하는 체하면서 내심으로는 배반함.
예 그들이 나를 속이고 **면종복배**할 줄은 몰랐다.

양두구육
羊 양 양 | 頭 머리 두 | 狗 개 구 | 肉 고기 육

양의 머리를 걸어 놓고 개고기를 판다는 뜻으로, 겉보기만 그럴듯하게 보이고 속은 변변하지 아니함.
예 그 식당은 중국산 음식을 국내산 음식으로 속여 **양두구육** 하는 곳이었다.

표리부동
表 겉 표 | 裏 속 리 | 不 아닐 부 | 同 같을 동

겉으로 드러나는 언행과 속으로 가지는 생각이 다름.
예 그는 속을 감추고 겉으로는 착한 척 **표리부동**하게 행동하였다.

확인 학습

1-3 다음 한자 성어와 그 뜻풀이를 바르게 선으로 이으세요.

1 구밀복검 •   • ㉠ 줏대 없이 남의 의견에 따라 움직임.

2 부화뇌동 •   • ㉡ 말로는 친한 듯하나 속으로는 해칠 생각이 있음.

3 표리부동 •   • ㉢ 겉으로 드러나는 언행과 속으로 가지는 생각이 다름.

4-5 다음 한자 성어의 뜻풀이에 알맞은 말을 골라 ○표를 하세요.

4 면종복배   겉으로는 (복수, 복종)하는 체하면서 내심으로는 배반함.

5 조변석개   아침저녁으로 뜯어고친다는 뜻으로, 계획이나 결정을 일관성이 없이 자주 (없앰, 고침).

6-8 빈칸에 들어갈 알맞은 한자 성어를 **보기** 에서 찾아 쓰세요.

보기	구밀복검	부화뇌동	양두구육	조령모개

6 입시 제도가 (   )(으)로 바뀌어서 학생들의 걱정이 많았다.

7 나는 마음이 약해서 친구들의 말에 (   )할 수밖에 없었다.

8 중고품을 신상품이라고 속이다니 그야말로 (   )인 상황이다.

9 다음 상황을 표현하기에 알맞은 한자 성어는 무엇인가요?

진우는 친구들에게 자신은 우정을 가장 소중하게 생각한다고 말하지만, 사실은 우정보다 자기 이익을 먼저 생각하는 사람이다.

① 구밀복검   ② 부화뇌동   ③ 조령모개   ④ 조변석개   ⑤ 표리부동

 걸린 시간   분   맞은 개수   개

 교과 어휘 – 한자어

사회 ☐☐

고적
古 옛 고 | 跡 자취 적

옛 문화를 보여 주는 건물이나 터.

예 우리는 로마 시대의 고적을 둘러보았다.

유의어 유적 남아 있는 자취. 건축물이나 싸움터 또는 역사적인 사건이 벌어졌던 곳.

국어 ☐☐

공감
共 함께 공 | 感 느낄 감

남의 감정, 의견, 주장 등에 대하여 자기도 그렇다고 느낌.

예 나는 환경을 보호하자는 의견에 공감했다.

유의어 동감 어떤 견해나 의견에 같은 생각을 가짐. 또는 그 생각.

국어 ☐☐

공경
恭 공손할 공 | 敬 공경할 경

공손히 받들어 모심.

예 선생님은 제자들에게 공경을 받았다.

국어 ☐☐

공식
公 공평할 공 | 式 법 식

국가적이나 사회적으로 인정된 공적인 방식.

예 우리는 다른 지역 학교를 공식 방문하였다.

반의어 비공식 국가적으로나 사회적으로 인정되지 않은 사사로운 방식.

과학 ☐☐

공전
公 공평할 공 | 轉 구를 전

한 천체가 다른 천체의 둘레를 주기적으로 도는 일.

예 지구는 태양의 주위를 돌며 공전을 한다.

어휘 쏙 천체 우주에 존재하는 모든 물체.

국어 ☐☐

관점
觀 볼 관 | 點 점 점

무엇을 관찰할 때, 그 사람이 보고 생각하는 태도나 방향.

예 그는 이 사건을 특이한 관점으로 보았다.

유의어 입장 당면하고 있는 상황.

사회 ☐☐

관할
管 주관할 관 | 轄 다스릴 할

일정한 권한을 가지고 통제하거나 지배함.

예 이번 일은 다른 부서의 관할이다.

과학 ☐☐

광합성
光 빛 광 | 合 합할 합 | 成 이룰 성

식물이 빛을 이용하여 양분을 스스로 만드는 과정.

예 식물은 잎을 이용하여 광합성을 한다.

어휘 쏙 양분 영양이 되는 성분.

1-3 다음 낱말과 그 뜻풀이를 바르게 선으로 이으세요.

1 공경 •

• ㉠ 공손히 받들어 모심.

2 공전 •

• ㉡ 일정한 권한을 가지고 통제하거나 지배함.

3 관할 •

• ㉢ 한 천체가 다른 천체의 둘레를 주기적으로 도는 일.

4-6 다음 낱말의 뜻풀이에 알맞은 말을 골라 ○표를 하세요.

4 공식   국가적이나 사회적으로 (밝혀진, 인정된) 공적인 방식.

5 광합성   (동물, 식물)이 빛을 이용하여 양분을 스스로 만드는 과정.

6 관점   무엇을 관찰할 때, 그 사람이 보고 (반대하는, 생각하는) 태도나 방향.

7-8 빈칸에 들어갈 알맞은 낱말을 보기 에서 찾아 쓰세요.

보기   공감   공전   관할

7 그쪽은 경찰이 (   )하는 부분이 아니라고 했다.

8 나는 그가 일을 처리하는 방식에 (   )할 수 있었다.

9-10 다음 밑줄 친 낱말과 바꾸어 쓸 수 있는 낱말을 보기 에서 찾아 쓰세요.

보기   고적   공감   관점

9 나는 토론자들과 같은 <u>입장</u>에서 생각해 보았다.   (   )

10 예전 시대의 <u>유적</u>을 보면 조상들의 지혜를 느낄 수 있다.   (   )

걸린 시간   분   맞은 개수   개

교과 어휘 – 다의어

급하다
훕 급할 급

① 시간의 여유가 없어 일을 서두르거나 매우 빠르다.
예 나는 급하게 밥을 먹고 회사로 출발했다.
② 기울기나 경사가 가파르다.
예 경사가 급한 계단에서는 조심히 다녀야 한다.

끊다

① 이어진 것을 잘라 따로 떨어지게 하다.
예 그들은 쇠사슬을 끊고 탈출하였다.
② 관계를 이어지지 않게 하다.
예 앞으로는 쓸데없는 일에 관심을 끊을 것이다.
③ 습관처럼 하던 것을 더 이상 하지 않다.
예 나는 당분간 밀가루 음식을 끊기로 했다.

교과 어휘 – 동음이의어

가정¹
家 집 가 | 庭 뜰 정

가족을 이루고 사는 사람들의 생활 공동체.
예 그는 행복한 가정에서 자랐다.

가정²
假 거짓 가 | 定 정할 정

사실이 아니거나 또는 사실인지 아닌지 분명하지 않은 것을 임시로 인정함.
예 우리는 대회에 참가한다는 가정을 하고 연습을 시작했다.

감상¹
感 느낄 감 | 傷 다칠 상

하찮은 일에도 쓸쓸하고 슬퍼져서 마음이 상함.
예 엄마는 옛날 일을 떠올리며 감상에 젖어 눈물을 흘리셨다.

감상²
鑑 거울 감 | 賞 상줄 상

주로 예술 작품을 이해하여 즐기고 평가함.
예 나는 음악 감상을 하며 여유를 즐겼다.

확인 학습

1-2 밑줄 친 낱말의 뜻으로 알맞은 것의 기호를 쓰세요.

1 우리는 급하게 뛰어서 약속 시간에 맞추어 도착하였다. ( )
ㄱ 기울기나 경사가 가파르다.
ㄴ 시간의 여유가 없어 일을 서두르거나 매우 빠르다.

2 나는 가을이 되면 혼자 감상에 잠겨 우울해지곤 한다. ( )
ㄱ 주로 예술 작품을 이해하여 즐기고 평가함.
ㄴ 하찮은 일에도 쓸쓸하고 슬퍼져서 마음이 상함.

3-5 다음 밑줄 친 낱말의 뜻풀이를 찾아 바르게 선으로 이으세요.

3 아빠는 담배를 끊으셨다. • • ㄱ 관계를 이어지지 않게 하다.

4 길게 늘어진 줄을 끊었다. • • ㄴ 이어진 것을 잘라 따로 떨어지게 하다.

5 나는 친구와 연락을 끊었다. • • ㄷ 습관처럼 하던 것을 더 이상 하지 않다.

6-7 빈칸에 들어갈 알맞은 낱말을 보기 에서 찾아 쓰세요.

> 보기
> 감상하고   급하고   끊고

6 경사가 ( ) 미끄러운 길에서는 조심히 다녀야 한다.

7 그는 전시회에서 새로운 작품을 ( ) 큰 감동을 받았다.

8-9 다음 뜻풀이에 알맞은 낱말을 보기 에서 찾아 기호를 쓰세요.

> 보기 지우: 어디에서나 사고가 일어날 수 있다는 것을 ㄱ가정하고 대비해야 해요.
> 슬기: 맞아요. 학교가 아닌 ㄴ가정에서도 화재나 지진에 대한 교육을 해야 합니다.

8 가족을 이루고 사는 사람들의 생활 공동체. ( )

9 사실이 아니거나 또는 사실인지 아닌지 분명하지 않은 것을 임시로 인정함. ( )

걸린 시간 분   맞은 개수 개

🐙 심화 어휘 - 주제별 속담

★ 세상의 순리

달도 차면 기운다	세상의 온갖 것이 한번 번성하면 다시 쇠하기 마련이라는 말. 예 달도 차면 기운다고 하더니, 항상 1위만 하던 가수가 이제는 인기가 없어졌구나.	

비 온 뒤에 땅이 굳어진다

비에 젖었던 흙도 마르면서 단단하게 굳어진다는 뜻으로, 어떤 시련을 겪은 뒤에 더 강해짐을 이르는 말.

예 비 온 뒤에 땅이 굳어진다는 말처럼, 나는 시험에 떨어진 뒤에 실패를 두려워하지 않을 용기를 얻었다.

십 년이면 강산도 변한다

세월이 흐르게 되면 모든 것이 다 변하게 됨을 이르는 말.

예 십 년이면 강산도 변한다고 했는데, 오랜만에 만난 친구는 변한 것이 하나도 없었다.

🐙 심화 어휘 - 주제별 관용어

★ 간과 관련된 관용어

간담이 서늘하다

몹시 놀라서 섬뜩하다.

예 자칫하면 사고가 날 뻔해서 간담이 서늘했다.

간도 쓸개도 없다

용기나 줏대 없이 남에게 굽히다.

예 한번만 용서해 달라고 간도 쓸개도 없이 싹싹 빌었다.

어휘쏙 줏대 자기의 처지나 생각을 꿋꿋이 지키고 내세우는 기질이나 기풍.

간에 기별도 안 가다

먹은 것이 너무 적어 먹으나 마나 하다.

예 밥을 너무 조금 퍼 줘서 간에 기별도 안 갔다.

간이 크다	겁이 없고 매우 대담하다. 예 번지 점프를 단번에 하다니 정말 간이 크다.	

▶ 정답 28쪽

1-3 다음 관용어와 그 뜻풀이를 바르게 선으로 이으세요.

1 간담이 서늘하다 •　　　　　　　 • ㉠ 몹시 놀라서 섬뜩하다.

2 간도 쓸개도 없다 •　　　　　　 • ㉡ 겁이 없고 매우 대담하다.

3 간이 크다 •　　　　　　　　　 • ㉢ 용기나 줏대 없이 남에게 굽히다.

4-5 다음 뜻풀이에 알맞은 속담을 보기 에서 찾아 기호를 쓰세요.

> **보기** ㉠ 달도 차면 기운다　 ㉡ 십 년이면 강산도 변한다　 ㉢ 비 온 뒤에 땅이 굳어진다

4 세월이 흐르게 되면 모든 것이 다 변하게 됨을 이르는 말.　　　　（　　　　）

5 세상의 온갖 것이 한번 번성하면 다시 쇠하기 마련이라는 말.　　　（　　　　）

6-7 빈칸에 들어갈 알맞은 낱말을 보기 에서 찾아 쓰세요.

> **보기**　　　　　　강물　　　강산　　　땅　　　돌

6 '십 년이면 (　　　　)도 변한다'더니 고향의 모습이 정말 많이 변했다.

7 '비 온 뒤에 (　　　　)이 굳어진다'고 했으니 지금 힘든 상황이 지나고 나면 곧 좋은 날이 올 거야.

8 다음 상황에 알맞은 관용어를 골라 ○표를 하세요.

> 　나는 다이어트를 하는 누나 몰래 간식을 먹기로 했다. 그런데 간이 (넓지, 크지) 않아서 너무 조용히 조금씩 먹다 보니 과자를 다 먹었는데도 간에 (기운, 기별)도 안 갔다. 갑자기 방문을 여는 소리에 누나가 들어오는 줄 알고 간담이 (서늘했다, 시원했다).

걸린 시간　　　　　분　　　　맞은 개수　　　　　개

04회

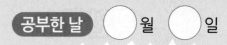

🐙 교과 어휘 – 한자어

사회
☐

교류
交 사귈 교 | 流 흐를 류

문화나 사상 등이 서로 통함.

예 현대 사회에서는 외국과의 **교류**가 활발하다.

> 어휘 쏙 **사상** 사회, 정치, 인생 등에 대한 일정한 견해나 생각.

국어
☐

교역
交 사귈 교 | 易 바꿀 역

주로 나라와 나라 사이에서 물건을 사고 팔고 하여 서로 바꿈.

예 국가 간의 **교역**이 늘어나고 있다.

> 유의어 **무역** 지역과 지역 사이에 물건을 사고파는 행위.

과학
☐

굴절
屈 굽힐 굴 | 折 꺾을 절

① 휘어서 꺾임.

예 공이 **굴절**하면서 다른 방향으로 튀었다.

② 파동이 서로 다른 물질의 경계를 지나면서 진행 방향이 바뀌는 현상.

예 빛이 유리나 물을 지날 때 꺾이는 현상을 **굴절**이라고 한다.

> 어휘 쏙 **파동** 어떤 변화가 차츰 둘레에 퍼져 가는 현상. 음파나 빛 등을 이른다.

과학
☐

극지방
極 지극할 극 | 地 땅 지 | 方 모 방

남극과 북극을 중심으로 한 주변 지역.

예 **극지방**의 동물들은 추위에 적응하였다.

국어
☐

기권
棄 버릴 기 | 權 권세 권

투표, 경기 등에 참가할 수 있는 권리를 스스로 포기하고 행사하지 않음.

예 우리 팀은 이번 시합에 **기권**을 하였다.

> 유의어 **포기** 하려던 일을 도중에 그만두어 버림.

국어
☐

기여
寄 부칠 기 | 與 더불 여

도움이 되도록 이바지함.

예 그는 회사의 발전에 큰 **기여**를 하였다.

> 유의어 **공헌** 힘을 써 이바지함.

국어
☐

기원
祈 빌 기 | 願 원할 원

바라는 일이 이루어지기를 빎.

예 간절한 **기원**이 이루어지길 바란다.

> 유의어 **기도** 신이나 절대적 존재에게 빎. 또는 그런 의식.

국어
☐

기풍
氣 기운 기 | 風 바람 풍

어떤 집단이나 지역 사람들의 공통적인 특성.

예 마을 사람들은 근검절약하는 **기풍**을 가지고 있었다.

1-3 다음 낱말과 그 뜻풀이를 바르게 선으로 이으세요.

1 교류 •
2 굴절 •
3 극지방 •

• ㉠ 휘어서 꺾임.

• ㉡ 문화나 사상 등이 서로 통함.

• ㉢ 남극과 북극을 중심으로 한 주변 지역.

4-6 다음 낱말의 뜻풀이에 알맞은 말을 골라 ○표를 하세요.

4 기여 도움이 되도록 (이바지함, 알림).

5 기풍 어떤 집단이나 지역 사람들의 (이기적인, 공통적인) 특성.

6 교역 주로 나라와 나라 사이에서 물건을 사고팔고 하여 (서로, 혼자) 바꿈.

7-9 빈칸에 들어갈 알맞은 낱말을 보기 에서 찾아 쓰세요.

보기   교류   굴절   기권   기원

7 할머니가 건강을 되찾으시기를 (   )하였다.

8 나는 이번 반장 선거에서 자신이 없어서 (   )하였다.

9 음파는 눈에 보이지 않지만 벽에 부딪혀 반사되거나 (   )한다.

10 다음 중 짝 지어진 낱말의 관계가 나머지와 <u>다른</u> 것은 무엇인가요?

① 교역 – 무역   ② 굴절 – 파동   ③ 기권 – 포기
④ 기여 – 공헌   ⑤ 기원 – 기도

걸린 시간   분   맞은 개수   개

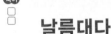 교과 어휘 - 고유어

날름대다

① 불길이 밖으로 자꾸 날쌔게 나왔다 들어갔다 하다.

예 창문 밖으로 불길이 날름대는 것이 보였다.

② 혀, 손 등을 자꾸 날쌔게 내밀었다 들였다 하다.

예 동생은 혀를 날름대며 나를 놀렸다.

내리쬐다

볕이 세차게 아래로 비치다.

예 햇볕이 따스하게 내리쬐는 봄날이었다.

유의어 비치다 빛이 나서 환하게 되다.

내뱉다

① 입 안에 있던 것을 입 밖으로 뱉어 내보내다.

예 쓴맛이 나서 입에 있던 물을 내뱉었다.

② 마음에 내키지 않거나 못마땅한 어조로 불쑥 말하다.

예 나는 해서는 안 될 말을 내뱉고 후회했다.

어휘 쏙 못마땅하다 마음에 들지 않아 좋지 않다.

널따랗다

꽤 넓다.

예 그 집은 거실이 널따랗고 깨끗했다.

유의어 널찍하다 꽤 너르다.
반의어 좁다랗다 너비나 공간이 매우 좁다.

노여워하다

화가 치밀 만큼 분해하거나 섭섭해하다.

예 엄마는 나의 거짓말에 무척 노여워하셨다.

유의어 분노하다 분하게 여겨 몹시 성을 내다.

느긋하다

마음에 흡족하여 여유가 있고 넉넉하다.

예 시간이 많아서 느긋하게 커피를 즐겼다.

어휘 쏙 흡족하다 조금도 모자람이 없을 정도로 넉넉하여 만족하다.

다소곳하다

고개를 조금 숙이고 온순한 태도로 말이 없다.

예 그녀는 다소곳하게 기다리고 있었다.

단박

그 자리에서 바로를 이르는 말.

예 우리는 만나자마자 단박에 서로를 알아봤다.

유의어 즉시 어떤 일이 행하여지는 바로 그때.

확인 학습

1-3 다음 뜻풀이에 알맞은 낱말을 **보기** 에서 찾아 쓰세요.

보기   내리쬐다   노여워하다   느긋하다   다소곳하다

1 마음에 흡족하여 여유가 있고 넉넉하다.   (   )

2 화가 치밀 만큼 분해하거나 섭섭해하다.   (   )

3 고개를 조금 숙이고 온순한 태도로 말이 없다.   (   )

4-6 다음 밑줄 친 낱말과 바꾸어 쓸 수 있는 낱말을 찾아 바르게 선으로 이으세요.

4 햇빛이 <u>내리쬐는</u> 창가에 앉았다.   •   • ㉠ 널찍한

5 그는 너무 <u>노여워하는</u> 표정을 보였다.   •   • ㉡ 분노하는

6 엄마는 <u>널따란</u> 마당에 고추를 말리셨다. •   • ㉢ 비치는

7-9 다음 낱말이 들어갈 문장을 찾아 바르게 선으로 이으세요.

7 내뱉고 •   • ㉠ 그는 (   ) 결정을 내리고 실행하였다.

8 날름대고 •   • ㉡ 친구는 나를 향해 혓바닥을 (   ) 있었다.

9 단박에 •   • ㉢ 나는 깜짝 놀라서 입에 있던 물을 (   ) 말았다.

10 **보기** 의 밑줄 친 낱말의 뜻풀이로 알맞은 것의 기호를 쓰세요.

보기   아버지는 화가 나신 나머지 그들에게 심한 말을 <u>내뱉어</u> 버리셨다.

㉠ 입 안에 있던 것을 입 밖으로 뱉어 내보내다.
㉡ 마음에 내키지 않거나 못마땅한 어조로 불쑥 말하다.

걸린 시간   분   맞은 개수   개

공부한 날 ◯ 월 ◯ 일

🐙 심화 어휘 – 헷갈리기 쉬운 낱말

겨누다

활이나 총을 쏠 때 목표물을 향해 방향과 거리를 잡다.
예 화살을 과녁에 **겨누고** 활을 당겼다.

겨루다

서로 버티어 승부를 다투다.
예 이번에야말로 우승을 놓고 **겨루게** 되었다.

결재
決 결정할 결 | 裁 마를 재

상관이 부하가 제출한 안건을 검토하여 허가하거나 승인함.
예 그는 **결재**를 받기 위해 다시 문서를 작성하였다.
어휘쏙 안건 토의하거나 조사하여야 할 사실.

결제
決 결정할 결 | 濟 건널 제

돈이나 증권 등을 주고받아 거래 관계를 끝맺음.
예 요즘에는 현금 대신 카드로 **결제**를 한다.

굳히다

① 무른 물질을 단단하게 하다.
예 과일에 설탕물을 부어 **굳히면** 맛있는 간식이 된다.
② 흔들리거나 바뀌지 않을 만큼 힘이나 뜻을 강하게 하다.
예 나는 방학 동안 운동을 하겠다는 결심을 **굳혔다**.

굽히다

① 한쪽으로 휘게 하다.
예 나는 허리를 **굽혀** 정중하게 인사하였다.
② 뜻, 주장, 지조 등을 꺾고 남을 따르다.
예 그는 마지막에 반대의 뜻을 **굽히고** 결과를 받아들였다.

깃들다

① 아늑하게 서려 들다.
예 들판에는 봄의 따스한 기운이 **깃들어** 있었다.
② 감정, 생각, 노력 등이 어리거나 스미다.
예 우리의 추억이 **깃들어** 있는 사진을 함께 보았다.

깃들이다

새나 짐승이 보금자리를 만들어 그 속에 들어 살다.
예 새가 우리 집 지붕 밑에 **깃들여** 겨울을 보냈다.

1-3 다음 낱말과 그 뜻풀이를 바르게 선으로 이으세요.

1 겨누다 •

2 굽히다 •

3 깃들이다 •

• ㉠ 뜻, 주장, 지조 등을 꺾고 남을 따르다.

• ㉡ 새나 짐승이 보금자리를 만들어 그 속에 들어 살다.

• ㉢ 활이나 총을 쏠 때 목표물을 향해 방향과 거리를 잡다.

4-6 빈칸에 들어갈 알맞은 낱말을 보기 에서 찾아 쓰세요.

보기   겨누고   겨루고   굳히고   굽히고

4 우리는 서로를 향해 총구를 (   ) 있었다.

5 나는 집을 떠나겠다는 마음을 (   ) 실행에 옮겼다.

6 그들은 치열하게 승부를 (   ) 나서 결과를 인정하였다.

7-8 다음 문장에 알맞은 낱말을 골라 ○표를 하세요.

7 나는 모든 여행 비용을 현금으로 (결제, 결재)하였다.

8 밤이 되어 어느새 숲속에 어둠이 (깃들고, 깃들이고) 있었다.

9-10 다음 글에서 잘못된 부분을 찾아 바르게 고쳐 쓰세요.

> 회사에서 그의 팀과 우리 팀은 이번 일의 성공을 놓고 겨누는 중이었다. 우리 팀이 먼저 작업을 끝낸 뒤, 부장님께 결제를 올리고 그 결과를 기다렸다.

9 (   ) ➔ (   )

10 (   ) ➔ (   )

걸린 시간   분   맞은 개수   개

05회

교과 어휘 – 한자어

사회

기후
氣 기운 기 | 候 기후 후

기온, 비, 눈, 바람 등의 대기 상태.
예 요즘 기후 변화가 심해지고 있다.

어휘 쏙 대기 '공기'를 달리 이르는 말.

국어

난청
難 어려울 난 | 聽 들을 청

청력이 저하되어서 듣기 어렵게 된 상태.
예 할머니는 나이가 드시며 난청이 생기셨다.

어휘 쏙 청력 귀로 소리를 듣는 힘.

국어

납부
納 들일 납 | 付 줄 부

세금이나 공과금 등을 관계 기관에 냄.
예 엄마는 세금 납부를 위해 은행에 가셨다.

유의어 납입 국가 기관이나 공공 단체에 세금이나 공과금 등을 냄.

국어

다국적
多 많을 다 | 國 나라 국 | 籍 서적 적

여러 나라가 참여하거나 여러 나라의 것이 섞여 있음.
예 다국적 자본이 투자한 영화를 감상하였다.

국어

단청
丹 붉을 단 | 靑 푸를 청

옛날식 집의 벽, 기둥, 천장 등에 여러 가지 빛깔로 그림이나 무늬를 그림.
예 처마에 그려진 단청이 아름다웠다.

과학

달성
達 통달할 달 | 成 이룰 성

목적한 것을 이룸.
예 우리는 목표 달성을 축하하였다.

유의어 완수 뜻한 바를 완전히 이루거나 다 해냄.

국어

답사
踏 밟을 답 | 査 조사할 사

현장에 가서 직접 보고 조사함.
예 그들은 현장 답사를 벌여 사건을 조사하였다.

사회

대가
代 대신할 대 | 價 값 가

① 물건의 값으로 치르는 돈.
예 가게 주인에게 물품의 대가를 지급하였다.
② 노력이나 희생을 통하여 얻게 되는 결과. 또는 일정한 결과를 얻기 위하여 하는 노력이나 희생.
예 나는 열심히 노력한 대가로 상을 받았다.

유의어 대금 물건의 값으로 치르는 돈.

확인학습

▶ 정답 29쪽

1-3 다음 낱말과 그 뜻풀이를 바르게 선으로 이으세요.

1 기후 •

2 달성 •

3 답사 •

• ㉠ 목적한 것을 이룸.

• ㉡ 현장에 가서 직접 보고 조사함.

• ㉢ 기온, 비, 눈, 바람 등의 대기 상태.

4-6 다음 낱말의 뜻풀이에 알맞은 말을 골라 ○표를 하세요.

4 대가 물건의 값으로 (받는, 치르는) 돈.

5 납부 (세금, 용돈)이나 공과금 등을 관계 기관에 냄.

6 다국적 여러 (단체, 나라)가 참여하거나 여러 나라의 것이 섞여 있음.

7-8 빈칸에 들어갈 알맞은 낱말을 보기 에서 찾아 쓰세요.

보기   기후   난청   단청

7 옛 궁궐에 그려진 (   )을/를 감상하였다.

8 그는 (   )이/가 생긴 뒤로 보청기를 하고 다녔다.

9-10 다음 밑줄 친 낱말과 바꾸어 쓸 수 있는 낱말을 보기 에서 찾아 쓰세요.

보기   납부   달성   대가

9 우리는 세금을 <u>납입</u>할 돈이 모자라서 돈을 빌렸다.   (   )

10 그들은 맡은 일을 끝까지 <u>완수</u>하기 위해 최선을 다했다.   (   )

걸린 시간   분   맞은 개수   개

 교과 어휘 - 고유어

덥수룩하다

더부룩하게 많이 난 수염이나 머리털이 어수선하게 덮여 있다.

예 그는 수염이 길고 **덥수룩**하였다.

어휘 쏙 더부룩하다 수염이나 머리털 등이 좀 길고 촘촘하게 많이 나 있다.

덩달다

실속도 모르고 남이 하는 대로 좇아서 하다.

예 그는 친구가 나서니 **덩달**아 나섰다.

된통

아주 몹시.

예 부모님께 거짓말이 걸려서 **된통** 혼이 났다.

유의어 되게 아주 몹시.

둘러싸다

① 둥글게 에워싸다.

예 아름다운 풍경을 **둘러싸**고 모두 사진을 찍었다.

② 어떤 것을 행동이나 관심의 중심으로 삼다.

예 이번 사건을 **둘러싼** 사람들의 의견이 다양했다.

유의어 에워싸다 ① 둘레를 빙 둘러싸다. ② 어떤 사실을 관심의 초점으로 하여 둘러싸다.

드높다

매우 높다.

예 **드높**은 가을 하늘이 아름다웠다.

들썩이다

① 묵직한 물건이 떠들렸다 가라앉았다 하다.

예 이불에 누가 숨었는지 이불이 **들썩였다**.

② 마음이 들떠서 움직이다.

예 봄이 오자 마음이 **들썩**이고 설렜다.

어휘 쏙 떠들리다 덮인 것이나 가린 것이 조금 젖혀지거나 쳐들리다.

듬뿍

넘칠 정도로 매우 가득하거나 수북한 모양.

예 그릇에 과일을 **듬뿍** 담아 주었다.

유의어 수북이 쌓이거나 담긴 물건 등이 불룩하게 많이.

디디다

① 발을 올려놓고 서거나 발로 내리누르다.

예 풀밭을 맨발로 **디디**고 뛰어놀았다.

② 어려운 상황 등을 이겨 내다.

예 그는 어려운 시절을 **디디**고 일어나 성공하였다.

유의어 밟다 발을 들었다 놓으면서 어떤 대상 위에 대고 누르다.

확인 학습

1-3 다음 뜻풀이에 알맞은 낱말을 보기 에서 찾아 쓰세요.

> 보기   덩달다   둘러싸다   들썩이다   디디다

1 둥글게 에워싸다.   (   )

2 묵직한 물건이 떠들렸다 가라앉았다 하다.   (   )

3 실속도 모르고 남이 하는 대로 좇아서 하다.   (   )

4-6 다음 밑줄 친 낱말과 바꾸어 쓸 수 있는 낱말을 찾아 바르게 선으로 이으세요.

4 이 작품을 <u>에워싼</u> 논쟁이 점점 커졌다.   •   • ㉠ 된통

5 엄마는 밥공기에 밥을 <u>수북이</u> 퍼 주셨다.   •   • ㉡ 둘러싼

6 그는 감기를 <u>되게</u> 앓고 나서 살이 쭉 빠졌다. •   • ㉢ 듬뿍

7-9 다음 낱말이 들어갈 문장을 찾아 바르게 선으로 이으세요.

7 덥수룩한   •   • ㉠ 도시에 (   ) 건물들이 들어섰다.

8 덩달아   •   • ㉡ (   ) 머리를 깎고 나니 말끔해졌다.

9 드높은   •   • ㉢ 아이가 웃는 것을 보니 (   ) 웃음이 났다.

10 보기 의 밑줄 친 낱말의 뜻풀이로 알맞은 것의 기호를 쓰세요.

> 보기   나는 역경을 <u>디디고</u> 일어나 성공한 위인들을 존경한다.

㉠ 어려운 상황 등을 이겨 내다.
㉡ 발을 올려놓고 서거나 발로 내리누르다.

걸린 시간   분   맞은 개수   개

심화 어휘 – 주제별 한자 성어

★ 진정한 우정

간담상조
肝 간 간 | 膽 쓸개 담 | 相 서로 상 | 照 비출 조

서로 속마음을 털어놓고 친하게 사귐.

예 그와 나는 모든 것을 말하며 **간담상조**하는 사이였다.

문경지교
刎 목벨 문 | 頸 목 경 | 之 갈 지 | 交 사귈 교

생사를 같이할 수 있는 아주 가까운 사이, 또는 그런 친구를 이르는 말.

예 우리는 서로의 목숨도 맡길 수 있는 **문경지교**를 나누었다.

지란지교
芝 지초 지 | 蘭 난초 란 | 之 갈 지 | 交 사귈 교

벗 사이의 맑고도 고귀한 사귐을 이르는 말.

예 그들은 **지란지교**라 할 만큼 맑고 훌륭한 우정을 나누었다.

지음
知 알 지 | 音 소리 음

마음이 서로 통하는 친한 벗을 이르는 말.

예 자신의 마음을 아는 **지음**을 만나기란 어려운 일이다.

★ 실력이 뛰어난 사람

동량지재
棟 마룻대 동 | 梁 들보 량 | 之 갈 지 | 材 재목 재

집안이나 나라를 떠받치는 중대한 일을 맡을 만한 인재를 이르는 말.

예 그는 재주가 뛰어나 **동량지재**라고 불렸다.

재자가인
才 재주 재 | 子 아들 자 | 佳 아름다울 가 | 人 사람 인

재주 있는 남자와 아름다운 여자를 아울러 이르는 말.

예 두 사람은 **재자가인**이라 할 만큼 멋진 한 쌍이었다.

철중쟁쟁
鐵 쇠 철 | 中 가운데 중 | 錚 쇳소리 쟁 | 錚 쇳소리 쟁

같은 무리 가운데서도 가장 뛰어나거나 그런 사람을 이르는 말.

예 내 친구는 우리들 중에서 **철중쟁쟁**하여 제일 먼저 성공하였다.

1-3 다음 한자 성어와 그 뜻풀이를 바르게 선으로 이으세요.

1 재자가인 •

2 지란지교 •

3 지음 •

• ㉠ 마음이 서로 통하는 친한 벗을 이르는 말.

• ㉡ 벗 사이의 맑고도 고귀한 사귐을 이르는 말.

• ㉢ 재주 있는 남자와 아름다운 여자를 아울러 이르는 말.

4-5 다음 한자 성어의 뜻풀이에 알맞은 말을 골라 ○표를 하세요.

4 간담상조 서로 (잘못, 속마음)을 털어놓고 친하게 사귐.

5 동량지재 집안이나 나라를 떠받치는 중대한 일을 맡을 만한 (천재, 인재)를 이르는 말.

6-8 빈칸에 들어갈 알맞은 한자 성어를 보기 에서 찾아 쓰세요.

> 보기 문경지교 재자가인 지란지교 철중쟁쟁

6 그들은 맑고 고고한 향기가 나는 듯한 (   )의 우정을 나누었다.

7 서로의 목숨이 아깝지 않을 만큼 가까운 친구 사이를 (   )라고 한다.

8 결혼하는 이모와 이모부가 얼마나 능력이 좋고 아름다운지 모두들 (   )이라고 부르며 부러워하였다.

9 다음 상황을 표현하기에 알맞은 한자 성어는 무엇인가요?

> 그는 무엇을 하더라도 남보다 재주가 뛰어났다. 주위 사람들과 같은 노래를 연주해도 혼자만 확실히 더 아름다운 가락을 연주할 수 있었다.

① 간담상조   ② 동량지재   ③ 문경지교   ④ 지란지교   ⑤ 철중쟁쟁

걸린 시간   분   맞은 개수   개

06회

 교과 어휘 – 한자어

사회

대양
大 클 대 | 洋 큰 바다 양

세계의 해양 가운데 특히 넓고 큰 바다.
예 그는 대양을 넘어 다른 나라로 갈 계획이었다.

유의어 해양 넓고 큰 바다.

국어

독창적
獨 홀로 독 | 創 비롯할 창 | 的 과녁 적

예전에 없던 것을 처음으로 만들어 내거나 생각해 내는 것.
예 그는 독창적인 제품을 만들어 냈다.

국어

동원
動 움직일 동 | 員 인원 원

어떤 목적을 달성하고자 사람을 모으거나 물건, 수단, 방법 등을 집중함.
예 우리는 관객 동원을 위해 홍보물을 뿌렸다.

어휘 쏙 달성 목적한 것을 이룸.

사회

등재하다
登 오를 등 | 載 실을 재

① 일정한 사항을 장부나 대장에 올리다.
예 집안에서는 태어난 아기를 호적에 등재하였다.
② 서적이나 잡지 등에 싣다.
예 출전 선수의 최종 명단을 신문에 등재하였다.

유의어 게재하다 글이나 그림을 신문이나 잡지 등에 싣다.

국어

막막하다
寞 고요할 막 | 寞 고요할 막

① 쓸쓸하고 고요하다.
예 별들만 반짝이는 막막한 밤이었다.
② 의지할 데 없이 외롭고 답답하다.
예 나는 홀로 막막한 심정을 가눌 길이 없었다.

과학

망각
忘 잊을 망 | 却 물리칠 각

어떤 사실을 잊어버림.
예 망각의 세월 동안 기억은 다 지워졌다.

반의어 기억 이전의 인상이나 경험을 의식 속에 간직하거나 도로 생각해 냄.

사회

맥락
脈 줄기 맥 | 絡 이을 락

어떤 일이 서로 이어져 있는 관계나 연관.
예 그의 말은 앞뒤 맥락이 통하지 않았다.

유의어 계통 일정한 체계에 따라 서로 관련되어 있는 부분.

국어

명확하다
明 밝을 명 | 確 굳을 확

명백하고 확실하다.
예 상대에게 우리의 입장을 명확하게 밝혔다.

유의어 분명하다 어떤 사실이 틀림이 없이 확실하다.

1-3 다음 낱말과 그 뜻풀이를 바르게 선으로 이으세요.

1 등재하다 •   • ㉠ 쓸쓸하고 고요하다.

2 막막하다 •   • ㉡ 명백하고 확실하다.

3 명확하다 •   • ㉢ 일정한 사항을 장부나 대장에 올리다.

4-6 다음 낱말의 뜻풀이에 알맞은 말을 골라 ○표를 하세요.

4 대양   세계의 해양 가운데 특히 (맑고, 넓고) 큰 바다.

5 맥락   어떤 일이 서로 (이어져, 흩어져) 있는 관계나 연관.

6 독창적   예전에 (있던, 없던) 것을 처음으로 만들어 내거나 생각해 내는 것.

7-8 빈칸에 들어갈 알맞은 낱말을 보기 에서 찾아 쓰세요.

보기   동원   등재   망각

7 그는 자신의 신분을 (   )하고 잘못을 저질렀다.

8 우리는 문제 해결을 위해 여러 가지 방법을 (   )하였다.

9-10 다음 밑줄 친 낱말과 바꾸어 쓸 수 있는 낱말을 보기 에서 찾아 쓰세요.

보기   계통   기억   해양

9 두 문제는 같은 <u>맥락</u>으로 볼 수 있다.   (   )

10 큰 배가 <u>대양</u>을 항해하여 다른 대륙으로 향했다.   (   )

걸린 시간   분   맞은 개수   개

교과 어휘 – 다의어

나다

① 신체 표면이나 땅 위에 솟아나다.

예 얼굴에 갑자기 여드름이 났다.

② 길, 통로, 창문 등이 생기다.

예 마을에 길이 나서 다니기가 편해졌다.

③ 어떤 현상이나 사건이 일어나다.

예 전국에 홍수가 나서 사람들이 피해를 입었다.

늘다

① 수나 분량, 시간 등이 본디보다 많아지다.

예 간식을 많이 먹었더니 전보다 몸무게가 늘었다.

② 재주나 능력 등이 나아지다.

예 음식 솜씨가 늘었다고 칭찬을 받았다.

교과 어휘 – 동음이의어

기상¹

氣 기운 기 | 象 형상 상

바람, 구름, 비 등 대기 중에서 일어나는 모든 현상.

예 **기상** 악화로 인해 비행기가 뜨지 않는다.

기상²

起 일어날 기 | 牀 평상 상

잠자리에서 일어남.

예 그는 **기상** 시간을 잘 지켜서 일찍 일어났다.

녹화¹

綠 초록빛 녹 | 化 될 화

산이나 들에 나무나 화초를 심어 푸르게 함.

예 산림 **녹화**를 위해 많은 나무를 심었다.

녹화²

錄 기록할 녹 | 畵 그림 화

사물의 모습을 나중에 다시 볼 수 있도록 필름이나 테이프 등에 담음.

예 그는 예정되어 있던 드라마 **녹화**를 진행했다.

확인 학습

▼ 정답 29쪽

1-2 **밑줄 친 낱말의 뜻으로 알맞은 것의 기호를 쓰세요.**

1 영어 실력이 <u>늘어서</u> 간단한 회화를 할 수 있었다.   (   )

㉠ 재주나 능력 등이 나아지다.
㉡ 수나 분량, 시간 등이 본디보다 많아지다.

2 아침부터 <u>기상</u>이 다시 좋아져서 바다에 낚시를 나갔다.   (   )

㉠ 잠자리에서 일어남.
㉡ 바람, 구름, 비 등 대기 중에서 일어나는 모든 현상.

3-5 **다음 밑줄 친 낱말의 뜻풀이를 찾아 바르게 선으로 이으세요.**

3 밭에 새싹이 <u>났다</u>. •   • ㉠ 길, 통로, 창문 등이 생기다.

4 이웃 마을 사이에 도로가 <u>났다</u>. •   • ㉡ 어떤 현상이나 사건이 일어나다.

5 형이 시험에 붙어서 경사가 <u>났다</u>. •   • ㉢ 신체 표면이나 땅 위에 솟아나다.

6-7 **빈칸에 들어갈 알맞은 낱말을 보기 에서 찾아 쓰세요.**

> **보기**
>
> 기상   나서   늘어서

6 전보다 물건 판매가 (   ) 많은 돈을 벌었다.

7 우리는 아침 (   ) 후에 바로 준비 운동을 했다.

8-9 **다음 뜻풀이에 알맞은 낱말을 보기 에서 찾아 기호를 쓰세요.**

> **보기** 혜은: 뉴스에서 이번 산불로 불탄 산에 나무를 심는 ㉠녹화 작업을 방송하더라.
> 민호: 응, 나도 나중에 그 방송을 다시 보려고 ㉡녹화해 두었어.

8 산이나 들에 나무나 화초를 심어 푸르게 함.   (   )

9 사물의 모습을 나중에 다시 볼 수 있도록 필름이나 테이프 등에 담음.   (   )

걸린 시간   분   맞은 개수   개

심화 어휘 - 주제별 속담

★ 부정적인 상황

고래 싸움에 새우 등 터진다

강한 자들끼리 싸우는 통에 아무 상관도 없는 약한 자가 중간에 끼어 피해를 입게 됨을 이르는 말.

예 고래 싸움에 새우 등 터진다고, 강대국들의 다툼에 작은 나라만 눈치를 보고 있다.

배보다 배꼽이 더 크다

기본이 되는 것보다 덧붙이는 것이 더 많거나 큰 경우를 이르는 말.

예 새로 산 봄옷에 어울리게 가방과 신발을 사다 보니 배보다 배꼽이 더 컸다.

사공이 많으면 배가 산으로 간다

여러 사람이 자기주장만 내세우면 일이 제대로 되기 어려움을 이르는 말.

예 사공이 많으면 배가 산으로 간다고 하더니, 자기 말만 하다가 회의가 결론을 못 내리고 있었다.

심화 어휘 - 주제별 관용어

★ 귀와 관련된 관용어

귀가 따갑다

너무 여러 번 들어서 듣기가 싫다.

예 숙제하라는 말을 귀가 따갑게 들었다.

귀가 얇다

남의 말을 쉽게 받아들인다.

예 그는 귀가 얇아서 친구의 말만 듣고 자전거를 팔았다.

귀에 익다

들은 기억이 있다.

예 낯선 곳에서 귀에 익은 친구의 목소리를 들으니 반가웠다.

귓가에 맴돌다

귓전에서 사라지지 아니하고 들리는 듯하다.

예 그녀의 웃음소리가 귓가에 맴돌았다.

확인학습

1-3 다음 관용어와 그 뜻풀이를 바르게 선으로 이으세요.

1 귀가 따갑다 •   • ㉠ 들은 기억이 있다.

2 귀가 얇다 •   • ㉡ 남의 말을 쉽게 받아들인다.

3 귀에 익다 •   • ㉢ 너무 여러 번 들어서 듣기가 싫다.

4-5 다음 뜻풀이에 알맞은 속담을 보기에서 찾아 기호를 쓰세요.

> **보기** ㉠ 배보다 배꼽이 더 크다
> ㉡ 고래 싸움에 새우 등 터진다
> ㉢ 사공이 많으면 배가 산으로 간다

4 기본이 되는 것보다 덧붙이는 것이 더 많거나 큰 경우를 이르는 말. ( )

5 여러 사람이 자기주장만 내세우면 일이 제대로 되기 어려움을 이르는 말. ( )

6-7 빈칸에 들어갈 알맞은 낱말을 보기에서 찾아 쓰세요.

> **보기**   꽃게   물고기   배   새우

6 '고래 싸움에 ( ) 등 터진다'라는 말처럼, 대기업들의 경쟁 속에 중소기업들이 손해를 보고 있다.

7 '사공이 많으면 ( )가 산으로 간다'라고 하더니, 조언을 해 주는 사람이 너무 많으니 갈피를 잡기가 더 힘들다.

8 다음 상황에 알맞은 관용어를 골라 ○표를 하세요.

> 엄마는 언제나 조심해서 다니라는 말씀을 귀가 (따갑게, 시리게) 자주 하신다. 소풍 가는 날, 아침부터 조심히 다녀오라는 엄마의 말씀이 귓가에 (맴돌아서, 움직여서) 버스에 오르자마자 안전띠를 꼭 매고 주의하였다.

걸린 시간   분   맞은 개수   개

교과 어휘 – 한자어

국어 ☐☐

모종
某 아무 모 | 種 씨 종

어떠한 종류.
예 우리는 모종의 임무를 위해 신속하게 모였다.

국어 ☐☐

모함
謀 꾀할 모 | 陷 빠질 함

나쁜 꾀로 남을 어려운 처지에 빠지게 함.
예 그는 모함에 빠져 곤경에 처했다.

유의어 ▶ 모략 사실을 왜곡하거나 속임수를 써 남을 해롭게 함.

국어 ☐☐

무분별하다
無 없을 무 | 分 나눌 분 | 別 다를 별

분별이 없다.
예 나의 무분별한 행동을 선생님께 사과드렸다.

어휘 쏙 분별 세상 물정에 대한 바른 생각이나 판단.
유의어 ▶ 몰지각하다 지각이 전혀 없다.

국어 ☐☐

무참하다
無 없을 무 | 慘 참혹할 참

몹시 끔찍하고 참혹하다.
예 전쟁으로 사람들이 무참하게 희생되었다.

유의어 ▶ 참혹하다 비참하고 끔찍하다.

사회 ☐☐

문물
文 글월 문 | 物 물건 물

문화의 산물.
예 외국 문물이 들어오기 시작했다.

유의어 ▶ 문명 인류가 이룩한 물질적, 기술적, 사회 구조적인 발전.

사회 ☐☐

민간
民 백성 민 | 間 사이 간

관청이나 정부 기관에 속하지 않음.
예 정부가 아닌 민간 기업이 이번 일을 맡을 수는 없다.

과학 ☐☐

반구
半 반 반 | 球 공 구

구의 절반. 또는 그런 모양의 물체.
예 이 집은 반구 형태로 되어 있다.

어휘 쏙 구 공처럼 둥글게 생긴 물체. 또는 그런 모양.

과학 ☐☐

반응
反 돌이킬 반 | 應 응할 응

자극에 대응하여 어떤 현상이 일어남. 또는 그 현상.
예 그를 불러도 아무런 반응이 없었다.

유의어 ▶ 응답 부름이나 물음에 응하여 답함.

1-3 다음 낱말과 그 뜻풀이를 바르게 선으로 이으세요.

1 모함 •

• ㉠ 문화의 산물.

2 문물 •

• ㉡ 관청이나 정부 기관에 속하지 않음.

3 민간 •

• ㉢ 나쁜 꾀로 남을 어려운 처지에 빠지게 함.

4-5 다음 낱말의 뜻풀이에 알맞은 말을 골라 ○표를 하세요.

4 모종 어떠한 (분류, 종류).

5 반구 구의 (전체, 절반). 또는 그런 모양의 물체.

6-8 빈칸에 들어갈 알맞은 낱말을 보기 에서 찾아 쓰세요.

보기   모함   무분별   무참   반응

6 우리의 소박한 꿈은 (   )하게 짓밟혔다.

7 그는 (   )한 소비 때문에 파산할 지경이었다.

8 그들은 새로운 소식에 예상보다 빠르게 (   )하였다.

9-10 다음 밑줄 친 낱말과 바꾸어 쓸 수 있는 낱말을 보기 에서 찾아 쓰세요.

보기   모략   문명   민간

9 그 나라는 외국의 새로운 문물과 기술을 받아들였다.   (   )

10 나는 다른 사람들의 모함 때문에 억울하게 누명을 썼다.   (   )

걸린 시간   분   맞은 개수   개

 **교과 어휘** - 고유어

국어

떼굴떼굴

큰 물건이 계속 구르는 모양.

예 사과가 쏟아져서 떼굴떼굴 굴러갔다.

국어

뜬금없다

갑작스럽고도 엉뚱하다.

예 그가 뜬금없는 소리를 해서 나를 웃겼다.

국어

말꼬리

한마디 말이나 한 차례 말의 맨 끝.

예 나는 대답에 자신이 없어서 말꼬리를 흐렸다.

▶유의어▶ 말끝 한마디 말이나 한 차례 말의 맨 끝.

사회

맞이하다

① 오는 것을 맞다.

예 새해를 맞이하여 나는 큰 결심을 했다.

② 예의를 갖추어 가족의 일원으로 되게 하다.

예 그는 선을 봐서 만난 사람을 아내로 맞이했다.

▶유의어▶ 맞다 오는 사람이나 물건을 예의로 받아들이다.

과학

매섭다

① 기운이나 눈매가 매우 심하게 맵고 사납다.

예 정희는 매서운 눈으로 나를 쏘아봤다.

② 바람이나 추위가 따가울 정도로 심하다.

예 매서운 바람에 볼이 시렸다.

▶반의어▶ 부드럽다 성질이나 태도가 억세지 아니하고 매우 따뜻하다.

국어

멀찌감치

사이가 꽤 떨어지게.

예 우리는 텔레비전과 멀찌감치 떨어져 앉았다.

국어

목청껏

있는 힘을 다하여 소리를 질러.

예 목청껏 그를 불렀지만 그는 돌아보지 않았다.

국어

못마땅하다

마음에 들지 않아 좋지 않다.

예 그는 내 말이 못마땅한지 얼굴을 찌푸렸다.

▶유의어▶ 언짢다 마음에 들지 않거나 좋지 않다.

확인 학습

1-3 다음 뜻풀이에 알맞은 낱말을 보기 에서 찾아 쓰세요.

보기   떼굴떼굴   말꼬리   멀찌감치   목청껏

1 사이가 꽤 떨어지게.   (   )

2 큰 물건이 계속 구르는 모양.   (   )

3 있는 힘을 다하여 소리를 질러.   (   )

4-6 다음 밑줄 친 낱말과 바꾸어 쓸 수 있는 낱말을 찾아 바르게 선으로 이으세요.

4 나는 <u>못마땅한</u> 표정을 숨기지 못했다.   •   • ㉠ 말끝

5 그는 <u>말꼬리</u>를 늘이며 대답을 얼버무렸다. •   • ㉡ 맞아

6 우리는 신학기를 <u>맞이하여</u> 새로운 각오를•   • ㉢ 언짢은
   다졌다.

7-9 다음 낱말이 들어갈 문장을 찾아 바르게 선으로 이으세요.

7 뜬금없는 •   • ㉠ 나는 (   ) 그의 방문에 깜짝 놀랐다.

8 매서운   •   • ㉡ 그는 이미 (   ) 도망가서 보이지 않았다.

9 멀찌감치 •   • ㉢ (   ) 추위가 온 사방을 꽁꽁 얼리고 있었다.

10 보기 의 밑줄 친 낱말과 뜻이 <u>반대인</u> 낱말은 무엇인가요?

보기   그는 상대편을 <u>매섭게</u> 몰아붙이고 있었다.

① 따갑게   ② 부드럽게   ③ 엄하게   ④ 예리하게   ⑤ 차갑게

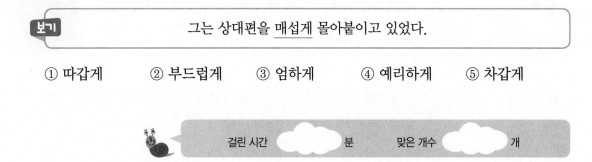

걸린 시간 [   ] 분   맞은 개수 [   ] 개

심화 어휘 – 헷갈리기 쉬운 낱말

등살

등에 있는 근육.

예 무서운 예감이 들어 **등살**에 소름이 돋았다.

등쌀

몹시 귀찮게 구는 짓.

예 나는 그의 **등쌀**에 못 이겨 부탁을 들어 주었다.

막역하다

莫 없을 막 | 逆 거스릴 역

허물이 없이 아주 친하다.

예 우리는 어려서부터 아주 **막역한** 친구 사이였다.

막연하다

漠 넓을 막 | 然 그럴 연

뚜렷하지 못하고 어렴풋하다.

예 그들은 잘 될 것이라는 **막연한** 기대를 버리지 못했다.

맞추다

① 서로 떨어져 있는 부분을 제자리에 맞게 대어 붙이다.

예 분해했던 장난감의 조각들을 다시 **맞추었다**.

② 둘 이상의 일정한 대상들을 나란히 놓고 비교하여 살피다.

예 시험지를 정답과 **맞추어** 보았더니 틀린 문제가 많았다.

맞히다

문제에 대한 답을 틀리지 않게 하다.

예 어려운 문제였지만 답을 정확하게 **맞혔다**.

무치다

나물 등에 갖은양념을 넣고 골고루 한데 뒤섞다.

예 엄마는 봄나물을 맛있게 **무쳐서** 반찬을 만드셨다.

묻히다

가루, 물 등을 다른 물체에 들러붙게 하거나 흔적이 남게 하다.

예 토마토에 설탕을 **묻혀서** 먹었다.

1-3 다음 낱말과 그 뜻풀이를 바르게 선으로 이으세요.

1 막역하다 •   • ㉠ 허물이 없이 아주 친하다.

2 맞추다 •   • ㉡ 문제에 대한 답을 틀리지 않게 하다.

3 맞히다 •   • ㉢ 서로 떨어져 있는 부분을 제자리에 맞게 대어
                                    붙이다.

4-6 빈칸에 들어갈 알맞은 낱말을 보기 에서 찾아 쓰세요.

보기	맞추고	맞히고	무치고	묻히고

4 김치를 담그다가 양념을 의자에 (   ) 말았다.

5 저녁 준비를 위해 시금치를 (   ) 생선을 조렸다.

6 그는 매일 구입한 물품을 장부와 (   ) 나서 퇴근했다.

7-8 다음 문장에 알맞은 낱말을 골라 ○표를 하세요.

7 운동을 게을리했더니 (등살, 등쌀)이 접혀서 주름이 졌다.

8 우리는 (막역한, 막연한) 희망보다는 구체적인 계획이 필요하다.

9-10 다음 글에서 잘못된 부분을 찾아 바르게 고쳐 쓰세요.

> 성적을 올리라는 엄마의 등살에 한 달 내내 열심히 공부했더니, 모처럼 시험을 잘 본
> 것 같았다. 채점을 했는데 어려운 문제까지 다 맞춰서 정말 기분이 좋았다.

9 (   ) ➡ (   )

10 (   ) ➡ (   )

걸린 시간   분   맞은 개수   개

공부한 날 ○ 월 ○ 일

교과 어휘 – 한자어

사회

발령
發 필 발 | 令 명령할 령

직책이나 직위와 관련된 명령을 내림. 또는 그 명령.

예 나는 지방으로 **발령**을 받아 내려갔다.

유의어 ▶ 임명 일정한 지위나 임무를 남에게 맡김.

과학

발효
醱 술 괼 발 | 酵 술밑 효

미생물이 탄수화물 등을 분해하여 에너지를 얻는 작용.

예 **발효**가 끝난 메주를 항아리에 담았다.

어휘 쏙 ▶ 미생물 눈으로는 볼 수 없는 아주 작은 생물.

국어

발휘
發 필 발 | 揮 휘두를 휘

재능, 능력 등을 떨치어 나타냄.

예 나는 모처럼 요리 솜씨를 **발휘**했다.

국어

방방곡곡
坊 동네 방 | 坊 동네 방 | 曲 굽을 곡 | 曲 굽을 곡

한 군데도 빠짐이 없는 모든 곳.

예 우리는 **방방곡곡**을 돌아다니며 여행을 했다.

유의어 ▶ 각지 각 지방. 또는 여러 곳.

사회

방임
放 놓을 방 | 任 맡길 임

돌보거나 간섭하지 않고 제멋대로 내버려 둠.

예 아이들에 대한 **방임**은 학대로도 볼 수 있다.

유의어 ▶ 방치 내버려 둠.

과학

번식
繁 번성할 번 | 殖 불릴 식

붇고 늘어서 많이 퍼짐.

예 손 씻기로 세균의 **번식**을 막을 수 있다.

국어

변환
變 변할 변 | 換 바꿀 환

달라져서 바뀜.

예 동영상을 다른 파일로 **변환**하여 저장하였다.

유의어 ▶ 변화 사물의 성질, 모양, 상태가 바뀌어 달라짐.

사회

보건
保 지킬 보 | 健 굳셀 건

건강을 온전하게 잘 지킴.

예 임산부를 위한 **보건** 정책은 중요하다.

1-3 다음 낱말과 그 뜻풀이를 바르게 선으로 이으세요.

1 발효 •
2 발휘 •
3 보건 •

• ㉠ 건강을 온전하게 잘 지킴.

• ㉡ 재능, 능력 등을 떨치어 나타냄.

• ㉢ 미생물이 탄수화물 등을 분해하여 에너지를 얻는 작용.

4-6 다음 낱말의 뜻풀이에 알맞은 말을 골라 ○표를 하세요.

4 번식 붇고 (늘어서, 달아나서) 많이 퍼짐.

5 방방곡곡 한 군데도 빠짐이 없는 (작은, 모든) 곳.

6 발령 직책이나 직위와 (동떨어진, 관련된) 명령을 내림. 또는 그 명령.

7-8 빈칸에 들어갈 알맞은 낱말을 보기 에서 찾아 쓰세요.

보기   방임   번식   변환

7 우리는 상황을 바꾸기 위해 태세를 (   )하였다.

8 그들은 자신이 해야 할 일을 하지 않고 (   )하고 있었다.

9-10 다음 밑줄 친 낱말과 바꾸어 쓸 수 있는 낱말을 보기 에서 찾아 쓰세요.

보기   발령   발휘   방임

9 그는 아이들을 돌보지 않고 방치하고 있었다.   (   )

10 나는 이 자리에 임명을 받은 것을 영광으로 생각한다.   (   )

걸린 시간   분   맞은 개수   개

 - 고유어

무너뜨리다

① 쌓여 있거나 서 있는 것을 허물어 내려앉게 하다.

예 파도가 쳐서 모래성을 무너뜨렸다.

② 질서나 체제 등을 파괴하다.

예 사회 질서를 무너뜨리는 행동은 처벌받는다.

반의어 ▶ 세우다 질서나 체계, 규율 등을 올바르게 하거나 짜다.

무시무시하다

몹시 무섭다.

예 무시무시한 영화를 보고 겁에 질렸다.

유의어 ▶ 살벌하다 행동이나 분위기가 거칠고 무시무시하다.

미어지다

① 가득 차서 터질 듯하다.

예 볼이 미어지도록 밥을 가득 넣고 씹었다.

② 가슴이 찢어질 듯이 심한 고통이나 슬픔을 느끼다.

예 그와 헤어지는 슬픔에 가슴이 미어지는 것 같았다.

바짝

① 물기가 매우 마르거나 졸아붙거나 타 버리는 모양.

예 햇볕이 좋아서 빨래가 바짝 말랐다.

② 매우 가까이 달라붙거나 세게 죄는 모양.

예 그는 나에게 바짝 다가와 조용히 속삭였다.

유의어 ▶ 바싹 ① 물기가 다 말라 버리거나 타들어 가는 모양. ② 아주 가까이 달라붙거나 죄는 모양.

반들거리다

거죽이 아주 매끄럽고 윤이 나다.

예 검은 구두가 잘 닦여서 반들거렸다.

버둥거리다

매달리거나 주저앉아서 팔다리를 내저으며 자꾸 움직이다.

예 나는 물에 빠진 채 팔다리를 버둥거렸다.

벌그데데하다

조금 천박하게 벌그스름하다.

예 삼촌은 술을 마셔서 얼굴이 벌그데데하였다.

어휘 쏙 천박하다 품위가 없고 상스럽다.

벼르다

마음속으로 준비를 단단히 하고 기회를 엿보다.

예 나는 그 아이를 혼내려고 일주일 전부터 벼르고 있었다.

유의어 ▶ 노리다 무엇을 이루려고 모든 마음을 쏟아서 눈여겨보다.

1-3 다음 뜻풀이에 알맞은 낱말을 보기 에서 찾아 쓰세요.

> **보기**
>
> 무너뜨리다   미어지다   반들거리다   벼르다

1 가득 차서 터질 듯하다.   (   )

2 거죽이 아주 매끄럽고 윤이 나다.   (   )

3 쌓여 있거나 서 있는 것을 허물어 내려앉게 하다.   (   )

4-6 다음 밑줄 친 낱말과 바꾸어 쓸 수 있는 낱말을 찾아 바르게 선으로 이으세요.

4 논의 벼가 햇볕에 <u>바짝</u> 타들어갔다.   •   • ㉠ 노리고

5 밖에는 <u>무시무시한</u> 바람 소리가 들렸다.   •   • ㉡ 바싹

6 그는 우리가 잘못하는 순간을 <u>벼르고</u> 있었다. •   • ㉢ 살벌한

7-8 다음 낱말이 들어갈 문장을 찾아 바르게 선으로 이으세요.

7 버둥거리는 •   • ㉠ (   ) 대리석 바닥이 미끄러웠다.

8 벌그데데한 •   • ㉡ 모두 바닥에 넘어져서 (   ) 상황이다.

9 반들거리는 •   • ㉢ 그는 햇볕에 그을려 (   ) 얼굴로 웃었다.

10 보기 의 밑줄 친 낱말과 뜻이 <u>반대</u>인 낱말은 무엇인가요?

> **보기**
>
> 범죄자들은 사회의 질서와 체제를 <u>무너뜨리는</u> 세력이다.

① 인정하는   ② 세우는   ③ 파괴하는   ④ 허무는   ⑤ 훼손하는

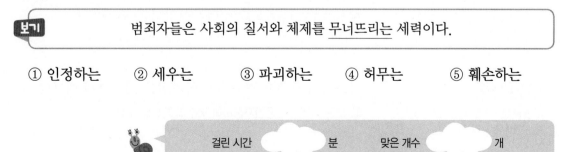

걸린 시간 [   ] 분   맞은 개수 [   ] 개

심화 어휘 – 주제별 한자 성어

★ 고난과 어려움

고군분투
孤 외로울 고 | 軍 군사 군 | 奮 떨칠 분 | 鬪 싸움 투

남의 도움을 받지 아니하고 힘에 벅찬 일을 잘해 나가는 것을 이르는 말.

예 그는 오해를 풀기 위해 자료를 모으느라 **고군분투**하였다.

구사일생
九 아홉 구 | 死 죽을 사 | 一 하나 일 | 生 날 생

죽을 고비를 여러 차례 넘기고 겨우 살아남을 이르는 말.

예 나는 사고를 겪고 **구사일생**으로 살아남았다.

산전수전
山 뫼 산 | 戰 싸울 전 | 水 물 수 | 戰 싸울 전

산에서도 싸우고 물에서도 싸웠다는 뜻으로, 세상의 온갖 고생과 어려움을 다 겪었음을 이르는 말.

예 **산전수전**을 다 겪어온 그녀는 세상에 무서울 것이 없었다.

천신만고
千 일천 천 | 辛 매울 신 | 萬 일만 만 | 苦 괴로울 고

천 가지 매운 것과 만 가지 쓴 것이라는 뜻으로, 온갖 어려운 고비를 다 겪으며 심하게 고생함을 이르는 말.

예 우리는 **천신만고** 끝에 적군에게서 탈출하였다.

★ 조심하는 태도

두문불출
杜 막을 두 | 門 문 문 | 不 아니 불 | 出 날 출

집에만 있고 바깥출입을 아니함.

예 그는 우리와의 연락을 끊고 **두문불출**하였다.

반신반의
半 반 반 | 信 믿을 신 | 半 반 반 | 疑 의심할 의

얼마쯤 믿으면서도 한편으로는 의심함.

예 나는 친구의 말을 믿을 수가 없어서 **반신반의**하며 들었다.

은인자중
隱 숨을 은 | 忍 참을 인 | 自 스스로 자 | 重 무거울 중

마음속에 감추어 견디면서 몸가짐을 신중하게 행동함.

예 그는 오랫동안 **은인자중**하며 복수의 기회를 노렸다.

1-3 다음 한자 성어와 그 뜻풀이를 바르게 선으로 이으세요.

1 구사일생 •   • ㉠ 집에만 있고 바깥출입을 아니함.

2 두문불출 •   • ㉡ 얼마쯤 믿으면서도 한편으로는 의심함.

3 반신반의 •   • ㉢ 죽을 고비를 여러 차례 넘기고 겨우 살아남을 이르는 말.

4-5 다음 한자 성어의 뜻풀이에 알맞은 말을 골라 ○표를 하세요.

4 은인자중   마음속에 감추어 견디면서 몸가짐을 (신중, 귀중)하게 행동함.

5 산전수전   세상의 온갖 고생과 (행복, 어려움)을 다 겪었음을 이르는 말.

6-8 빈칸에 들어갈 알맞은 한자 성어를 보기 에서 찾아 쓰세요.

> 보기   고군분투   반신반의   은인자중   천신만고

6 그는 자신의 뜻을 이루기 위해 조용히 참으며 (   )하였다.

7 우리는 길을 잃고 헤매며 (   ) 끝에 겨우 목적지에 도착했다.

8 새로운 시장을 개척하기 위해 (   )하는 그의 모습이 인상적이었다.

9 다음 상황을 표현하기에 알맞지 <u>않은</u> 한자 성어는 무엇인가요?

> 아프리카로 의료 봉사를 떠난 우리 일행은, 도둑들과 싸우고 야생 동물을 만나 죽을 위기를 넘기는 등 온갖 고생 끝에 마을에 도착하였다.

① 고군분투   ② 구사일생   ③ 두문불출   ④ 산전수전   ⑤ 천신만고

 걸린 시간   분   맞은 개수   개

교과 어휘 – 한자어

국어 ☐☐

부과
賦 구실 부 | 課 시험할 과

① 세금이나 부담금 등을 부담하게 함.
예 정부는 재산세 부과 대상을 발표하였다.

② 일정한 책임이나 일을 부담하여 맡게 함.
예 이번 일은 부당한 업무 부과라고 항의하였다.

국어 ☐☐

부임
赴 나아갈 부 | 任 맡길 임

임명이나 발령을 받아 근무할 곳으로 감.
예 우리는 신규 근무지 부임을 준비하고 있었다.

어휘 쏙 임명 일정한 지위나 임무를 남에게 맡김.

국어 ☐☐

분담
分 나눌 분 | 擔 멜 담

나누어서 맡음.
예 친구들은 역할 분담에 따라 맡은 일을 했다.

반의어 전담 어떤 일이나 비용의 전부를 도맡아 하거나 부담함.

국어 ☐☐

분별
分 나눌 분 | 別 다를 별

① 서로 다른 일이나 사물을 구별하여 가름.
예 이것이 누구의 물건인지 분별이 되지 않았다.

② 세상 물정에 대한 바른 생각이나 판단.
예 나는 언제든 분별 있고 공정하게 행동하려고 노력한다.

유의어 변별 사물의 옳고 그름이나 좋고 나쁨을 가림.

사회 ☐☐

분쟁
紛 어지러울 분 | 爭 다툴 쟁

말썽을 일으키어 시끄럽고 복잡하게 다툼.
예 두 사람 간의 분쟁은 쉽게 해결되지 않았다.

유의어 불화 서로 화합하지 못함.

과학 ☐☐

분포
分 나눌 분 | 布 베 포

일정한 범위에 흩어져 퍼져 있음.
예 각종 산업의 지역적인 분포를 살펴보았다.

국어 ☐☐

불식
拂 떨칠 불 | 拭 닦을 식

의심이나 부조리한 점 등을 말끔히 없앰을 이르는 말.
예 지역 이기주의 불식을 위한 정책이 필요하다.

사회 ☐☐

불합리
不 아닐 불 | 合 합할 합 | 理 다스릴 리

이론이나 이치에 합당하지 아니함.
예 우리는 대표 선발 제도의 불합리를 개선하였다.

유의어 모순 어떤 사실의 앞뒤, 또는 두 사실이 이치상 어긋나서 서로 맞지 않음을 이르는 말.

확인학습

1-3 다음 낱말과 그 뜻풀이를 바르게 선으로 이으세요.

1 부임 •

2 불식 •

3 불합리 •

• ㉠ 이론이나 이치에 합당하지 아니함.

• ㉡ 임명이나 발령을 받아 근무할 곳으로 감.

• ㉢ 의심이나 부조리한 점 등을 말끔히 없앰을 이르는 말.

4-6 다음 낱말의 뜻풀이에 알맞은 말을 골라 ○표를 하세요.

4 분포 일정한 범위에 (붙어서, 흩어져) 퍼져 있음.

5 부과 세금이나 부담금 등을 (받게, 부담하게) 함.

6 분별 세상 물정에 대한 (바른, 자기만의) 생각이나 판단.

7-8 빈칸에 들어갈 알맞은 낱말을 보기 에서 찾아 쓰세요.

보기   분담   분쟁   불식

7 나는 친구들과 교실 청소를 구역별로 (   )하였다.

8 지역과 출신에 따라 편을 가르면 (   )이 생기게 된다.

9-10 다음 밑줄 친 낱말과 바꾸어 쓸 수 있는 낱말을 보기 에서 찾아 쓰세요.

보기   부과   분별   분쟁

9 이웃들의 불화 때문에 항상 동네가 시끄러웠다.   (   )

10 여러 상품 중에서 좋은 상품만을 변별하기가 어려웠다.   (   )

걸린 시간   분   맞은 개수   개

교과 어휘 - 다의어

당기다

① 힘을 주어 자기 쪽이나 일정한 방향으로 가까이 오게 하다.
예 양 팀은 줄을 열심히 **당겼다**.

② 정한 시간이나 기일을 앞으로 옮기거나 줄이다.
예 우리는 약속 시간을 두 시간 **당겼다**.

③ 좋아하는 마음이 일어나 저절로 끌리다.
예 진수는 그의 제안에 마음이 **당겨서** 바로 허락했다.

떨어지다

① 위에서 아래로 내려지다.
예 오후에 비가 그친다고 했지만 빗방울이 계속 **떨어졌다**.

② 일정한 거리를 두고 있다.
예 식당은 학교에서 많이 **떨어져** 있었다.

③ 값, 기온, 수준 등이 낮아지거나 내려가다.
예 감자를 팔 곳이 없어져서 가격이 **떨어졌다**.

교과 어휘 - 동음이의어

대비¹
對 대답할 대 | 比 견줄 비

두 가지의 차이를 밝히기 위하여 서로 맞대어 비교함.
예 과거와 현재의 **대비**를 통해 발전된 정도를 알 수 있다.

대비²
對 대답할 대 | 備 갖출 비

앞으로 일어날지도 모르는 일에 대응하기 위하여 미리 준비함.
예 학교에서 화재 **대비**를 위한 훈련을 하였다.

동상¹
銅 구리 동 | 像 모양 상

사람이나 동물의 모습으로 만든 기념물.
예 공원의 **동상**은 언제나 같은 모습으로 서 있었다.

동상²
凍 얼 동 | 傷 상처 상

추위 때문에 살갗이 얼어서 조직이 상하는 일.
예 눈싸움을 하며 놀다가 손에 **동상**을 입을 뻔했다.

1-2 밑줄 친 낱말의 뜻으로 알맞은 것의 기호를 쓰세요.

1 우리는 일정을 <u>당겨서</u> 급하게 귀국하였다.　　　　　　　　　　(　　)

ㄱ 좋아하는 마음이 일어나 저절로 끌리다.

ㄴ 정한 시간이나 기일을 앞으로 옮기거나 줄이다.

2 마을 사람들은 가뭄에 <u>대비</u>하여 저수지를 만들었다.　　　　　　(　　)

ㄱ 두 가지의 차이를 밝히기 위하여 서로 맞대어 비교함.

ㄴ 앞으로 일어날지도 모르는 일에 대응하기 위하여 미리 준비함.

3-5 다음 밑줄 친 낱말의 뜻풀이를 찾아 바르게 선으로 이으세요.

3 그는 나와 <u>떨어져</u> 걸었다. •　　　　•ㄱ 위에서 아래로 내려지다.

4 가방에서 지갑이 <u>떨어졌다</u>. •　　　　•ㄴ 일정한 거리를 두고 있다.

5 시험 성적이 많이 <u>떨어졌다</u>. •　　　　•ㄷ 값, 기온, 수준 등이 낮아지거나 내려가다.

6-7 빈칸에 들어갈 알맞은 낱말을 보기에서 찾아 쓰세요.

> **보기**　　　　　　당기고　　　대비하고　　　떨어지고

6 지역 간의 특성을 (　　　　) 그에 따른 정책을 마련하였다.

7 우리는 다른 사람들이 들어오지 못하게 문을 계속 (　　　　) 있었다.

8-9 다음 뜻풀이에 알맞은 낱말을 보기에서 찾아 기호를 쓰세요.

> **보기**　유민: 캠프 갔을 때 나는 너무 추워서 발가락에 ㄱ<u>동상</u>이 걸리는 줄 알았어.
> 현우: 맞아. 사람이 ㄴ<u>동상</u>도 아니고 밖에서 계속 서 있으니 정말 춥더라.

8 사람이나 동물의 모습으로 만든 기념물.　　　　　　　　　　　　(　　)

9 추위 때문에 살갗이 얼어서 조직이 상하는 일.　　　　　　　　　(　　)

걸린 시간　　　　분　　　맞은 개수　　　　개

심화 어휘 – 주제별 속담

★ 말과 관련된 속담

아 해 다르고 어 해 다르다	같은 내용의 이야기라도 이렇게 말하여 다르고 저렇게 말하여 다르다는 말. 예 아 해 다르고 어 해 다르다는 말처럼, 조금만 잘못 전달해도 같은 이야기가 달라질 수 있다.	

입은 비뚤어져도 말은 바로 해라	상황이 어떻든지 말은 언제나 바르게 하여야 함을 이르는 말. 예 입은 비뚤어져도 말은 바로 해야지, 너는 지난번에 한 말과 지금 한 말이 완전히 다르다는 걸 아니?
입이 열 개라도 할 말이 없다	잘못이 명백히 드러나 변명의 여지가 없음을 이르는 말. 예 전부 다 제 잘못이고 입이 열 개라도 할 말이 없습니다.

심화 어휘 – 주제별 관용어

★ 꿈과 관련된 관용어

꿈도 못 꾸다	전혀 생각도 하지 못하다. 예 내가 이 자리까지 오를 줄은 꿈도 못 꾸었다.
꿈도 야무지다	희망이 너무 커 실현 가능성이 없음을 비꼬아 이르는 말. 예 그녀와 결혼할 생각을 하다니 꿈도 야무지구나.
꿈에 밟히다	잊히지 아니하여 꿈에 나타나다. 예 어렸을 때 살던 고향이 꿈에 밟히곤 했다.
꿈을 깨다	희망을 낮추거나 버리다. 예 그와 만나는 것은 불가능하니 꿈을 깨라는 충고를 들었다.

1-3 다음 관용어와 그 뜻풀이를 바르게 선으로 이으세요.

1 꿈도 못 꾸다 • • ㉠ 희망을 낮추거나 버리다.

2 꿈에 밟히다 • • ㉡ 전혀 생각도 하지 못하다.

3 꿈을 깨다 • • ㉢ 잊히지 아니하여 꿈에 나타나다.

4-5 다음 뜻풀이에 알맞은 속담을 보기 에서 찾아 기호를 쓰세요.

보기
㉠ 아 해 다르고 어 해 다르다
㉡ 입이 열 개라도 할 말이 없다
㉢ 입은 비뚤어져도 말은 바로 해라

4 잘못이 명백히 드러나 변명의 여지가 없음을 이르는 말. (   )

5 상황이 어떻든지 말은 언제나 바르게 하여야 함을 이르는 말. (   )

6-7 빈칸에 들어갈 알맞은 낱말을 보기 에서 찾아 쓰세요.

보기   다르고   모르고   입   팔

6 죄송하다는 말씀 외에는 (   )이 열 개라도 할 말이 없습니다.

7 아 해 (   ) 어 해 다르다고, 내가 한 말 중에 자기한테 유리한 말만 전하니까 오해가 생긴 것이다.

8 다음 상황에 알맞은 관용어를 골라 ○표를 하세요.

전학 온 친구가 너무 마음에 들어서 자꾸만 꿈에 (밟혔다, 잡혔다). 친구들한테 그 친구와 사귀고 싶다고 말했더니 꿈도 (고달프다, 야무지다)며 나에게 꿈을 (깨라, 주라)고 하였다.

걸린 시간   분   맞은 개수   개

교과 어휘 – 한자어

국어

비속어
卑 낮을 비 | 俗 풍속 속 | 語 말씀 어

격이 낮고 속된 말.

예 온라인 대화에서 **비속어** 사용을 줄여야 한다.

유의어 속어 일반 대중에게 널리 쓰이는 속된 말.

과학

빙하
氷 얼음 빙 | 河 물 하

쌓인 눈이 얼고 녹는 것을 반복하면서 만들어진 거대한 얼음덩어리.

예 지구 온난화 때문에 **빙하**가 녹고 있다.

사회

사절
使 부릴 사 | 節 마디 절

나라를 대표하여 일정한 사명을 띠고 외국에 파견되는 사람.

예 조선 시대에는 중국에 **사절**을 보내어 친목을 다졌다.

유의어 사신 임금이나 국가의 명령을 받고 외국에 사절로 가는 신하.

어휘 쏙 사명 맡겨진 임무.

국어

삭막하다
索 쓸쓸할 삭 | 莫 쓸쓸할 막

쓸쓸하고 막막하다.

예 우리는 인적이 없는 **삭막한** 마을에 도착했다.

국어

산산조각
散 흩을 산 | 散 흩을 산

아주 잘게 깨어진 여러 조각.

예 컵이 바닥에 떨어져 **산산조각**이 났다.

사회

상봉
相 서로 상 | 逢 만날 봉

서로 만남.

예 두 사람의 **상봉**은 감격스러웠다.

반의어 작별 인사를 나누고 헤어짐.

국어

상호
相 서로 상 | 互 서로 호

상대가 되는 이쪽과 저쪽 모두.

예 이번 일을 위해 **상호** 간의 협력이 필요하다.

유의어 피차 이쪽과 저쪽의 양쪽.

과학

생태계
生 날 생 | 態 모습 태 | 系 이을 계

어느 환경 안에서 사는 생물군과 그 생물들을 포함한 복합 체계.

예 **생태계** 오염을 막기 위해 플라스틱 사용을 줄이자.

1-3 다음 낱말과 그 뜻풀이를 바르게 선으로 이으세요.

1 산산조각 •

2 상봉 •

3 생태계 •

• ㉠ 서로 만남.

• ㉡ 아주 잘게 깨어진 여러 조각.

• ㉢ 어느 환경 안에서 사는 생물군과 그 생물들을 포함한 복합 체계.

4-6 다음 낱말의 뜻풀이에 알맞은 말을 골라 ○표를 하세요.

4 삭막하다 (따뜻하고, 쓸쓸하고) 막막하다.

5 사절 나라를 대표하여 일정한 (사명, 운명)을 띠고 외국에 파견되는 사람.

6 빙하 쌓인 눈이 (얼고, 흐르고) 녹는 것을 반복하면서 만들어진 거대한 얼음덩어리.

7-9 빈칸에 들어갈 알맞은 낱말을 보기 에서 찾아 쓰세요.

보기	비속어 사절 상봉 상호

7 환율은 경제와 (   ) 밀접한 관련이 있다.

8 이산가족 (   )을/를 위해 남과 북이 힘을 합쳤다.

9 공식적인 자리에서는 (   )을/를 쓰지 말아야 한다.

10 다음 중 짝 지어진 낱말의 관계가 나머지와 다른 것의 기호를 쓰세요.

㉠ 비속어 – 속어   ㉡ 사절 – 사신   ㉢ 상봉 – 작별   ㉣ 상호 – 피차

 걸린 시간   분   맞은 개수   개

 **교과 어휘** – 고유어

사회

보잘것없다

볼만한 가치가 없을 정도로 하찮다.

예 보잘것없는 일로 보이지만 나는 이 일을 사랑한다.

유의어 **하잘것없다** 시시하여 해 볼 만한 것이 없다.

국어

부스러지다

깨어져 잘게 조각이 나다.

예 아이는 부스러진 과자를 아까워했다.

유의어 **바스러지다** 깨어져 조금 잘게 조각이 나다.

국어

부쩍

무엇이 갑자기 늘어나거나 줄어드는 모양을 나타내는 말.

예 요즘 들어 비 오는 날이 부쩍 많아졌다.

국어

북돋우다

기운이나 정신 등을 더욱 높여 주다.

예 기가 죽은 친구의 사기를 북돋우려고 노력했다.

유의어 **격려하다** 용기나 의욕이 솟아나도록 북돋게 하다.

국어

불끈

① 물체가 두드러지게 솟아오르거나 떠오르는 모양.

예 목에 힘을 주자 핏줄이 불끈 솟았다.

② 주먹에 힘을 주어 꽉 쥐는 모양.

예 나는 주먹을 불끈 쥐고 소리를 질렀다.

국어

비꼬다

① 몸을 바르게 가지지 못하고 비비 틀다.

예 아이는 몸을 비꼬며 지루해 했다.

② 남의 마음에 거슬릴 정도로 빈정거리다.

예 상대방을 비꼬는 듯한 말투에 나는 화가 났다.

유의어 **뒤틀다** 꼬는 것처럼 몹시 비틀다.

국어

비아냥대다

얄밉게 빈정거리며 자꾸 놀리다.

예 그는 우리가 하는 일마다 자꾸 비아냥대며 귀찮게 했다.

어휘 쏙 **빈정거리다** 남을 은근히 비웃는 태도로 자꾸 놀리다.

국어

비지땀

몹시 힘든 일을 할 때 쏟아져 내리는 땀.

예 아버지는 비지땀을 흘리며 대청소를 하셨다.

1-3 다음 뜻풀이에 알맞은 낱말을 **보기** 에서 찾아 쓰세요.

> **보기**
> 보잘것없다   부스러지다   북돋우다   비아냥대다

1 얄밉게 빈정거리며 자꾸 놀리다.   (   )

2 볼만한 가치가 없을 정도로 하찮다.   (   )

3 기운이나 정신 등을 더욱 높여 주다.   (   )

4-6 다음 밑줄 친 낱말과 바꾸어 쓸 수 있는 낱말을 찾아 바르게 선으로 이으세요.

4 낡고 부스러진 책장을 넘겨보았다.   •   • ㉠ 하잘것없는

5 우리는 보잘것없는 스스로가 한심했다.   •   • ㉡ 바스러진

6 그는 심심한지 자꾸 몸을 비꼬는 것이었다.   •   • ㉢ 뒤트는

7-9 다음 낱말이 들어갈 문장을 찾아 바르게 선으로 이으세요.

7 부쩍   •   • ㉠ 팔에 힘을 주니 근육이 (   ) 솟았다.

8 불끈   •   • ㉡ 나는 (   )을 흘리며 가구를 옮겼다.

9 비지땀   •   • ㉢ 아이는 여름이 지나면서 (   ) 키가 자랐다.

10 **보기** 의 밑줄 친 낱말의 뜻풀이로 알맞은 것의 기호를 쓰세요.

> **보기**
> 그는 내 처지를 배려하는 척하면서 살살 비꼬고 있었다.

㉠ 몸을 바르게 가지지 못하고 비비 틀다.
㉡ 남의 마음에 거슬릴 정도로 빈정거리다.

걸린 시간 (   ) 분   맞은 개수 (   ) 개

심화 어휘 – 헷갈리기 쉬운 낱말

바치다

무엇을 위하여 모든 것을 아낌없이 내놓거나 쓰다.

예 그분은 어려운 이웃을 위한 봉사에 평생을 **바쳤다**.

받치다

물건의 밑이나 옆 등에 다른 물체를 대다.

예 쟁반에 접시를 **받쳐** 들고 나왔다.

발견
發 필 발 | 見 볼 견

미처 찾아내지 못한 사물이나 현상, 사실 등을 찾아냄.

예 폐암은 다른 병보다 조기 **발견**이 중요하다.

발명
發 필 발 | 明 밝을 명

전에 없던 물건이나 방법 등을 새로 생각하여 만들어 냄.

예 새로운 **발명**은 사람들의 호기심에서 시작한다.

방출
放 놓을 방 | 出 날 출

미리 모아 두거나 저축하여 놓은 것을 내놓음.

예 국가의 외화 **방출**로 경제난이 진정되었다.

배출
排 밀칠 배 | 出 날 출

안에서 밖으로 밀어 내보냄.

예 불법 폐기물 **배출**로 인해 지하수 오염이 심해졌다.

보안
保 지킬 보 | 安 편안 안

안전을 유지함.

예 개인 정보 **보안**을 위한 컴퓨터 시스템을 만들었다.

보완
補 기울 보 | 完 완전할 완

모자라거나 부족한 것을 보충하여 완전하게 함.

예 선수들은 각자의 단점 **보완**을 통해 경기력을 높였다.

확인 학습

▶ 정답 30쪽

[1-3] 다음 낱말과 그 뜻풀이를 바르게 선으로 이으세요.

1 방출 •   • ㉠ 안전을 유지함.

2 배출 •   • ㉡ 안에서 밖으로 밀어 내보냄.

3 보안 •   • ㉢ 미리 모아 두거나 저축하여 놓은 것을 내놓음.

[4-6] 빈칸에 들어갈 알맞은 낱말을 보기 에서 찾아 쓰세요.

> **보기**   발견   발명   보안   보완

4 나는 과제를 (   )하여 다시 제출하였다.

5 경찰에서는 사건을 해결할 새로운 단서를 (   )하였다.

6 이번 일은 이미 알려져 있어서 더 이상은 (   )이 어려웠다.

[7-8] 다음 문장에 알맞은 낱말을 골라 ○표를 하세요.

7 집집마다 쓰레기를 (방출, 배출)하는 날을 정했다.

8 그 건물은 천장을 여러 개의 기둥으로 (바치고, 받치고) 있었다.

[9-10] 다음 글에서 잘못된 부분을 찾아 바르게 고쳐 쓰세요.

> 그는 어렸을 때부터 언젠가는 우리가 쓸 자원이 부족해질 것을 알고 있었다. 그래서 전기와 석유 등의 에너지를 소모하지 않는 엔진을 발견하기 위해 평생을 받쳐 연구했다.

9 (   ) ➜ (   )

10 (   ) ➜ (   )

걸린 시간   분   맞은 개수   개

11회

교과 어휘 – 한자어

국어

선입견
先 먼저 선 | 入 들 입 | 見 볼 견

어떤 대상에 대하여 이미 마음속에 가지고 있는 고정적인 관념이나 관점.

예 그는 외국인에 대한 **선입견**이 없었다.

사회

선풍적
旋 돌 선 | 風 바람 풍 | 的 과녁 적

갑자기 일어나 사회에 큰 영향을 미치거나 관심의 대상이 될 만한 것.

예 그 가수의 앨범은 **선풍적**인 인기를 끌었다.

사회

섭취
攝 당길 섭 | 取 취할 취

영양소나 양분 등을 몸안에 받아들임.

예 피로를 없애려면 비타민 **섭취**가 필요하다.

유의어 흡수 빨아서 거두어들임.

국어

세속
世 세대 세 | 俗 풍속 속

사람이 살고 있는 모든 사회를 통틀어 이르는 말.

예 그들은 **세속**을 떠나 살기로 결심하였다.

유의어 속세 평범한 사람들이 사는 일반 사회.

국어

소탕
掃 쓸 소 | 蕩 털어 없앨 탕

휩쓸어 죄다 없애 버림.

예 우리는 반대 세력 **소탕**을 계획하였다.

유의어 일소 한꺼번에 싹 제거함.

국어

수치
羞 바칠 수 | 恥 부끄러워할 치

다른 사람들을 볼 낯이 없거나 스스로 떳떳하지 못함.

예 나는 과거의 내 행동을 **수치**로 여긴다.

유의어 치욕 수치와 모욕을 아울러 이르는 말.

과학

순환
循 좇을 순 | 環 고리 환

주기적으로 자꾸 되풀이하여 돎. 또는 그런 과정.

예 혈액의 **순환**이 잘되어야 몸이 건강하다.

국어

신념
信 믿을 신 | 念 생각할 념

굳게 믿는 마음.

예 그는 자신이 옳다는 **신념**에 차 있었다.

유의어 소신 굳게 믿고 있는 바.

1-3 다음 낱말과 그 뜻풀이를 바르게 선으로 이으세요.

1 선풍적 •

2 소탕 •

3 신념 •

• ㉠ 굳게 믿는 마음.

• ㉡ 휩쓸어 죄다 없애 버림.

• ㉢ 갑자기 일어나 사회에 큰 영향을 미치거나 관심의 대상이 될 만한 것.

4-6 다음 낱말의 뜻풀이에 알맞은 말을 골라 ○표를 하세요.

4 섭취 영양소나 (기운, 양분) 등을 몸안에 받아들임.

5 세속 사람이 살고 있는 모든 (나라, 사회)를 통틀어 이르는 말.

6 수치 다른 사람들을 볼 낯이 없거나 스스로 (떳떳하지, 아름답지) 못함.

7-8 빈칸에 들어갈 알맞은 낱말을 보기 에서 찾아 쓰세요.

> 보기
>
> 선입견   세속   순환

7 우리나라는 사계절의 (   )을 경험할 수 있다.

8 나는 그 회사에 대한 (   )을 버리고 회사의 제품을 구입하였다.

9-10 다음 밑줄 친 낱말과 바꾸어 쓸 수 있는 낱말을 보기 에서 찾아 쓰세요.

> 보기
>
> 섭취   소탕   신념

9 경찰관들이 숨어 있던 범죄 조직을 <u>일소</u>하였다.   (   )

10 그는 반대 세력의 방해에도 불구하고 자신의 <u>소신</u>을 지켰다,   (   )

걸린 시간   분   맞은 개수   개

 교과 어휘 – 고유어

뻐근하다

피로나 몸살 등으로 근육이 뭉치거나 결려서 움직이기에 둔하다.

예 집안일을 했더니 온몸이 뻐근하였다.

유의어 뻑적지근하다 몸이 뻐근하게 아픈 느낌이 있다.

뿔뿔이

제각기 따로따로 흩어지는 모양.

예 광장에 모였던 사람들이 뿔뿔이 흩어졌다.

사부작대다

별로 힘들이지 않고 계속 가볍게 행동하다.

예 그는 잠깐 사부작대더니 의자를 만들었다.

살포시

포근하게 살며시.

예 그녀는 살포시 웃으며 눈을 감았다.

서성거리다

자꾸 주위를 왔다 갔다 하다.

예 그는 초조한 듯 주위를 서성거렸다.

유의어 어슬렁거리다 몸집이 큰 사람이나 짐승이 몸을 조금 흔들며 계속 천천히 걸어 다니다.

섣부르다

솜씨가 설고 어설프다.

예 우리가 이길 것이라는 생각은 섣부른 판단이었다.

유의어 서투르다 익숙하거나 능숙하지 못하다.

섬기다

신(神)이나 윗사람을 잘 모시어 받들다.

예 나는 나에게 은혜를 베푼 그들을 스승으로 섬겼다.

유의어 받들다 공경하여 모시다.

성글다

물건의 사이가 뜨다.

예 그물이 성글게 짜여서 틈이 벌어졌다.

유의어 엉성하다 빽빽하지 못하고 성기다.

반의어 촘촘하다 틈이나 간격이 매우 좁거나 작다.

확인학습

▼ 정답 30쪽

1-3 다음 뜻풀이에 알맞은 낱말을 보기에서 찾아 쓰세요.

> 보기   사부작대다   서성거리다   섣부르다   섬기다

1 솜씨가 설고 어설프다.   (   )

2 자꾸 주위를 왔다 갔다 하다.   (   )

3 별로 힘들이지 않고 계속 가볍게 행동하다.   (   )

4-6 다음 밑줄 친 낱말과 바꾸어 쓸 수 있는 낱말을 찾아 바르게 선으로 이으세요.

4 바람이 통하도록 성글게 천을 짰다.   •   • ㉠ 받들게

5 그는 우리가 그를 지도자로 섬기게 했다. •   • ㉡ 엉성하게

6 나는 당황해서 섣부르게 행동하고 말았다. •   • ㉢ 서툴게

7-9 다음 낱말이 들어갈 문장을 찾아 바르게 선으로 이으세요.

7 뻐근하게   •   • ㉠ 몸살이 나려는지 몸이 (   ) 아팠다.

8 뿔뿔이   •   • ㉡ 엄마는 자는 아이를 (   ) 안아주셨다.

9 살포시   •   • ㉢ 친구들은 모두 (   ) 헤어져 집으로 향했다.

10 보기의 밑줄 친 낱말과 뜻이 반대인 낱말은 무엇인가요?

> 보기   그는 머리카락이 성글고 숱이 없는 편이었다.

① 거칠고   ② 성기고   ③ 촘촘하고   ④ 듬성하고   ⑤ 허술하고

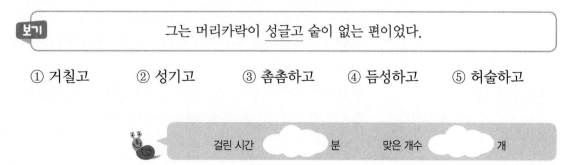

걸린 시간 (   ) 분   맞은 개수 (   ) 개

심화 어휘 - 주제별 한자 성어

★ 분노와 원한

각골통한
刻 새길 각 | 骨 뼈 골 | 痛 아플 통 | 恨 한할 한

뼈에 사무칠 만큼 원통하고 한스러움.
예 부모님의 원수를 눈앞에서 놓치다니 **각골통한**할 일이다.

분기충천
憤 성낼 분 | 氣 기운 기 | 衝 찌를 충 | 天 하늘 천

분한 마음이 하늘을 찌를 듯 격렬하게 북받쳐 오름.
예 우리는 **분기충천**하여 적군을 무찌르러 쳐들어갔다.

비분강개
悲 슬플 비 | 憤 성낼 분 | 慷 강개할 강 | 慨 분개할 개

슬프고 분하여 마음이 북받침.
예 나라를 버린 그들의 모습에 **비분강개**를 금치 못하였다.

절치부심
切 끊을 절 | 齒 이 치 | 腐 썩을 부 | 心 마음 심

몹시 분하여 이를 갈며 속을 썩임.
예 그는 억울하게 당한 것이 분해서 **절치부심**하였다.

천인공노
天 하늘 천 | 人 사람 인 | 共 함께 공 | 怒 성낼 노

누구나 분노할 만큼 증오스럽거나 도저히 용납할 수 없음을 이르는 말.
예 아이를 대상으로 한 범죄는 **천인공노**할 일이다.

★ 실패를 교훈으로 삼음

타산지석
他 다를 타 | 山 뫼 산 | 之 갈 지 | 石 돌 석

본이 되지 않은 남의 말이나 행동도 자신의 지식과 인격을 수양하는 데에 도움이 될 수 있음을 이르는 말.
예 나는 그의 실패를 **타산지석**으로 삼아 내 모습을 반성했다.
어휘 쏙 **수양** 몸과 마음을 갈고닦아 품성이나 지식, 도덕 등을 높은 경지로 끌어올림.

반면교사
反 돌이킬 반 | 面 낯 면 | 教 가르칠 교 | 師 스승 사

부정적인 면에서 얻는 깨달음이나 가르침을 주는 대상을 이르는 말.
예 이번 사건을 우리의 행동을 돌아볼 수 있는 **반면교사**로 삼자.

확인 학습

1-3 다음 한자 성어와 그 뜻풀이를 바르게 선으로 이으세요.

1 반면교사 •   • ㉠ 몹시 분하여 이를 갈며 속을 썩임.

2 분기충천 •   • ㉡ 분한 마음이 하늘을 찌를 듯 격렬하게 북받쳐 오름.

3 절치부심 •   • ㉢ 부정적인 면에서 얻는 깨달음이나 가르침을 주는 대상을 이르는 말.

4-5 다음 한자 성어의 뜻풀이에 알맞은 말을 골라 ○표를 하세요.

4 비분강개   슬프고 (서글퍼, 분하여) 마음이 북받침.

5 각골통한   (꿈, 뼈)에 사무칠 만큼 원통하고 한스러움.

6-8 빈칸에 들어갈 알맞은 한자 성어를 **보기** 에서 찾아 쓰세요.

> **보기**   각골통한   반면교사   절치부심   천인공노

6 그는 사람으로서 할 수 없는 (   )할 범죄를 저질렀다.

7 그 정치인은 선거에 아깝게 떨어진 후 이를 갈며 (   )하고 있었다.

8 비록 정상에 오르지 못했지만, 그들의 경험을 (   )(으)로 삼아야 한다.

9 다음 밑줄 친 상황을 표현하기에 알맞은 한자 성어는 무엇인가요?

> 내 친구는 공부를 원래 잘했지만 자기 실력만 믿고 공부를 게을리하여 성적이 많이 떨어졌다. 나는 친구를 보고 무슨 일이든 게을리하지 말아야겠다고 결심했다.

① 각골통한   ② 분기충천   ③ 비분강개   ④ 절치부심   ⑤ 타산지석

걸린 시간   분   맞은 개수   개

🐙 교과 어휘 – 한자어

사회

신중하다
慎 삼갈 신 | 重 무거울 중

매우 조심스럽다.
예 그는 실수하지 않도록 **신중하게** 판단했다.

유의어 **조심스럽다** 잘못이나 실수가 없도록 말이나 행동에 마음을 쓰는 태도가 있다.
반의어 **경솔하다** 말이나 행동이 조심성 없이 가볍다.

국어

실태
實 열매 실 | 態 모양 태

있는 그대로의 상태. 또는 실제의 모양.
예 우리는 한강의 수질 오염 **실태**를 조사하였다.

유의어 **실정** 실제의 사정이나 정세.

국어

심각하다
深 깊을 심 | 刻 새길 각

상태나 정도가 매우 깊고 중대하다.
예 제품의 문제가 **심각한** 상황이었다.

국어

아수라장
阿 언덕 아 | 修 닦을 수 | 羅 그물 라 | 場 마당 장

싸움이나 그 밖의 다른 일로 큰 혼란에 빠진 곳.
예 갑작스러운 화재로 건물 안은 **아수라장**이 되었다.

국어

악평
惡 악할 악 | 評 품평 평

나쁘게 평함. 또는 그런 평판이나 평가.
예 그는 배우들에게 **악평**을 하기로 유명했다.

어휘 쏙 **평판** 세상 사람들의 비평.
유의어 **혹평** 가혹하게 비평함.

국어

안건
案 책상 안 | 件 사건 건

토의하거나 조사하여야 할 사실.
예 회의에서 새로운 **안건**을 처리하였다.

유의어 **의안** 회의에서 심의하고 토의할 안건.

과학

양분
養 기를 양 | 分 나눌 분

영양이 되는 성분.
예 이 꽃은 좋은 흙에서 **양분**을 받아 잘 자랐다.

어휘 쏙 **영양** 생물이 필요한 에너지와 몸을 구성하는 성분을 외부에서 섭취하여 소화. 흡수하는 과정.

과학

어패류
魚 물고기 어 | 貝 조개 패 | 類 무리 류

어류와 조개류를 아울러 이르는 말.
예 이 지역 어민들은 **어패류**를 채취하며 산다.

확인 학습

1-3 다음 낱말과 그 뜻풀이를 바르게 선으로 이으세요.

1 실태 • • ㉠ 어류와 조개류를 아울러 이르는 말.

2 악평 • • ㉡ 있는 그대로의 상태. 또는 실제의 모양.

3 어패류 • • ㉢ 나쁘게 평함. 또는 그런 평판이나 평가.

4-6 다음 낱말의 뜻풀이에 알맞은 말을 골라 ○표를 하세요.

4 신중하다 매우 (실망스럽다, 조심스럽다).

5 심각하다 상태나 정도가 매우 (깊고, 높고) 중대하다.

6 아수라장 싸움이나 그 밖의 다른 일로 큰 (아픔, 혼란)에 빠진 곳.

7-8 빈칸에 들어갈 알맞은 낱말을 보기 에서 찾아 쓰세요.

> 보기   악평   안건   양분

7 땅에 떨어진 낙엽이 썩으면 나무의 ( )이 된다.

8 주민들이 재활용 쓰레기 처리 문제를 ( )으로 채택하였다.

9-10 다음 밑줄 친 낱말과 바꾸어 쓸 수 있는 낱말을 보기 에서 찾아 쓰세요.

> 보기   실태   악평   양분

9 우리는 평론가들의 혹평을 극복하고 공연을 잘 마쳤다. ( )

10 정부는 에너지 절약 실정을 알아보고 대책을 마련하였다. ( )

걸린 시간   분   맞은 개수   개

교과 어휘 - 다의어

밝다

① 불빛 등이 환하다.

예 조명이 밝아서 대낮같이 환했다.

② 감각이나 지각의 능력이 뛰어나다.

예 그분은 나이가 많으신 데도 눈이 밝으셨다.

③ 분위기, 표정 등이 환하고 좋아 보이거나 그렇게 느껴지다.

예 그는 밝게 웃으며 우리를 맞아 주었다.

벗어나다

① 공간적 범위나 경계 밖으로 빠져나오다.

예 우리는 서울에서 벗어나 강원도로 가는 중이었다.

② 어려운 일이나 처지에서 헤어나다.

예 나는 가난에서 벗어나기 위해 열심히 돈을 모았다.

③ 규범이나 이치, 체계 등에 어긋나다.

예 그는 예의에 벗어난 행동은 절대 하지 않았다.

교과 어휘 - 동음이의어

동향¹
同 같을 동 | 鄕 시골 향

고향이 같음. 또는 같은 고향.

예 서울에서 동향 사람을 만나면 정말 반갑다.

동향²
動 움직일 동 | 向 향할 향

사람이나 일이 움직이거나 돌아가는 형세.

예 나는 학생들의 최근 동향에 대해 알아보았다.

무력¹
武 굳셀 무 | 力 힘 력

때리거나 부수는 등의 육체를 사용한 힘.

예 그는 무력으로 나를 제압하려 하였다.

무력²
無 없을 무 | 力 힘 력

힘이 없음.

예 우리는 스스로의 무력을 실감하고 그 일을 단념하였다.

확인 학습

1-2 밑줄 친 낱말의 뜻으로 알맞은 것의 기호를 쓰세요.

1 그들은 강대국의 지배에서 <u>벗어나</u> 독립을 이루어냈다. ( )
ㄱ 어려운 일이나 처지에서 헤어나다.
ㄴ 규범이나 이치, 체계 등에 어긋나다.

2 일이 돌아가는 <u>동향</u>을 보니 이미 결론이 나 있는 것 같았다. ( )
ㄱ 고향이 같음. 또는 같은 고향.
ㄴ 사람이나 일이 움직이거나 돌아가는 형세.

3-5 다음 밑줄 친 낱말의 뜻풀이를 찾아 바르게 선으로 이으세요.

3 그의 표정이 아주 <u>밝았다</u>. •   • ㄱ 불빛 등이 환하다.

4 햇살이 <u>밝고</u> 눈부신 날이었다. •   • ㄴ 감각이나 지각의 능력이 뛰어나다.

5 그는 귀가 <u>밝아서</u> 멀리서 대화하 •   • ㄷ 분위기, 표정 등이 환하고 좋아 보
는 소리도 잘 들었다.   이거나 그렇게 느껴지다.

6-7 빈칸에 들어갈 알맞은 낱말을 **보기** 에서 찾아 쓰세요.

> **보기**   동향   무력   밝아서   벗어나서

6 우리는 모처럼 학교에서 (   ) 멀리 소풍을 갔다.

7 그와 나는 (   ) 친구로 어려서부터 같은 마을에서 함께 자랐다.

8-9 다음 뜻풀이에 알맞은 낱말을 **보기** 에서 찾아 기호를 쓰세요.

> **보기** 경은: 사람에게 ㄱ<u>무력</u>을 써서 지배하는 것은 정말 잘못된 일이야.
> 현준: 맞아. 그렇게 지배당하게 되면 사람들은 의지를 잃고 ㄴ<u>무력</u>하게 될 거야.

8 힘이 없음. ( )

9 때리거나 부수는 등의 육체를 사용한 힘. ( )

걸린 시간   분   맞은 개수   개

🐙 심화 어휘 - 주제별 속담

★ 삶의 이치

길고 짧은 것은 대어 보아야 안다
이기고 지고, 잘하고 못하는 것은 실지로 겨루어 보거나 겪어 보아야 알 수 있다는 말.
예 길고 짧은 것은 대어 보아야 안다고, 내가 키는 작지만 힘이 세서 반 친구들을 팔씨름으로 다 이겼다.

먼 사촌보다 가까운 이웃이 낫다
이웃끼리 친하게 지내다 보면 먼 곳에 있는 일가보다 더 친하게 되어 서로 도우며 살게 된다는 것을 이르는 말.
예 먼 사촌보다 가까운 이웃이 낫다는 말이 있는 것처럼, 친하게 지내는 이웃은 가족처럼 서로 돕게 된다.

백지장도 맞들면 낫다
쉬운 일이라도 협력하여 하면 훨씬 쉽다는 말.
예 백지장도 맞들면 낫다더니, 친구들과 다 같이 힘을 합해서 청소를 했더니 평소보다 훨씬 빨리 끝났다.

🐙 심화 어휘 - 주제별 관용어

★ 눈과 관련된 관용어

눈도 깜짝 안 하다
조금도 놀라지 않고 태연하다.
예 그는 주위의 원성에 눈도 깜짝 안 하고 자신의 주장을 말했다.

눈물이 앞서다
말을 하지 못하고 눈물을 먼저 흘리다.
예 다시 헤어질 생각에 눈물이 앞섰다.

눈을 붙이다
잠을 자다.
예 잠깐 눈을 붙이려다가 두 시간이나 잤다.

눈이 맞다
두 사람의 마음이나 눈치가 서로 통하다.
예 그들은 처음 만나자마자 눈이 맞아서 같은 팀이 되었다.

▶ 정답 30쪽

1-3 **다음 관용어와 그 뜻풀이를 바르게 선으로 이으세요.**

1 눈물이 앞서다 •　　　　　　　　　　• ㉠ 잠을 자다.

2 눈을 붙이다　•　　　　　　　　　• ㉡ 말을 하지 못하고 눈물을 먼저 흘리다.

3 눈이 맞다　　•　　　　　　　　　• ㉢ 두 사람의 마음이나 눈치가 서로 통하다.

4-5 **다음 뜻풀이에 알맞은 속담을 보기 에서 찾아 기호를 쓰세요.**

> 보기　㉠ 백지장도 맞들면 낫다
> 　　　㉡ 먼 사촌보다 가까운 이웃이 낫다
> 　　　㉢ 길고 짧은 것은 대어 보아야 안다

4 쉬운 일이라도 협력하여 하면 훨씬 쉽다는 말.　　　　　　　　　　（　　　　）

5 이기고 지고, 잘하고 못하는 것은 실지로 겨루어 보거나 겪어 보아야 알　（　　　　）
　수 있다는 말.

6-7 **빈칸에 들어갈 알맞은 낱말을 보기 에서 찾아 쓰세요.**

> 보기　　　　　　　문짝　　　백지장　　　삼촌　　　이웃

6 （　　　　　）도 맞들면 낫다고, 아이들이 집안일을 도와주니 훨씬 빨리 끝났다.

7 먼 사촌보다 가까운 （　　　　　）이 낫다고, 이번에 집에 도둑이 들었을 때 앞집에서 신고
　해 주지 않았으면 정말 큰일날 뻔했다.

8 **다음 상황에 알맞은 관용어를 골라 ○표를 하세요.**

> 　　나는 우리 집 강아지가 아파서 병원에 다녀온 사정을 설명하며 마음이 아파서 눈물이
> （앞섰다, 말랐다）. 그러나 친구는 내 이야기를 듣고 나서 눈도 （깜짝 안 하고, 뜨지 않고）
> 다음부터는 약속 시간에 늦지 말라고만 했다.

걸린 시간　　　　　분　　　맞은 개수　　　　　개

교과 어휘 – 한자어

国어

역량
力 힘 력 | 量 헤아릴 량

어떤 일을 해낼 수 있는 힘.
예 그는 남보다 뛰어난 **역량**을 가지고 있었다.

유의어▶ 실력 실제로 갖추고 있는 힘이나 능력.

사회

연안
沿 따를 연 | 岸 언덕 안

강이나 호수, 바다를 따라 잇닿아 있는 육지.
예 남한강 **연안**은 자연 환경이 아름답다.

유의어▶ 물가 바다, 강, 못과 같이 물이 있는 곳의 가장자리.

과학

연장선
延 끌 연 | 長 길 장 | 線 선 선

어떤 일이나 현상, 행위가 계속하여 이어지는 것.
예 우리는 지난번 토론의 **연장선**에서 이번 회의를 열었다.

사회

열대
熱 더울 열 | 帶 띠 대

연평균 기온이 20℃ 이상인 매우 더운 지역.
예 **열대** 과일은 과즙이 풍부하고 달다.

国어

열중
熱 더울 열 | 中 가운데 중

한 가지 일에 정신을 쏟음.
예 나는 매일매일 운동에 **열중**하였다.

유의어▶ 몰입 깊이 파고들거나 빠짐.

과학

영구
永 길 영 | 久 오랠 구

어떤 상태가 시간상으로 무한히 이어짐.
예 그들은 우리나라로 **영구** 귀국하였다.

유의어▶ 영원 어떤 상태가 끝없이 이어짐. 또는 시간을 초월하여 변하지 아니함.

사회

영해
領 거느릴 영 | 海 바다 해

영토에 인접하여 그 나라의 주권이 미치는 범위의 바다.
예 외국의 배가 우리의 **영해**를 침범하였다.

어휘 쏙▶ 인접 이웃하여 있음.
어휘 쏙▶ 주권 국가의 의사를 최종적으로 결정하는 권력.

사회

온대
溫 따뜻할 온 | 帶 띠 대

열대와 한대 사이의 지역.
예 **온대** 지방의 기후는 쌀 생산에 유리하다.

1-3 다음 낱말과 그 뜻풀이를 바르게 선으로 이으세요.

1 역량 ·

· ㉠ 열대와 한대 사이의 지역.

2 연장선 ·

· ㉡ 어떤 일을 해낼 수 있는 힘.

3 온대 ·

· ㉢ 어떤 일이나 현상, 행위가 계속하여 이어지는 것.

4-6 다음 낱말의 뜻풀이에 알맞은 말을 골라 ○표를 하세요.

4 연안 강이나 호수, 바다를 따라 잇닿아 있는 (육지, 섬).

5 열대 연평균 기온이 20℃ 이상인 매우 (건조한, 더운) 지역.

6 영해 영토에 인접하여 그 나라의 주권이 미치는 범위의 (바다, 산맥).

7-8 빈칸에 들어갈 알맞은 낱말을 보기에서 찾아 쓰세요.

보기   열대   영구   영해

7 우리는 그분의 마지막 작품을 (   ) 보존하였다.

8 (   ) 지방의 기후는 비가 많이 내리고 습한 것이 특징이다.

9-10 다음 밑줄 친 낱말과 바꾸어 쓸 수 있는 낱말을 보기에서 찾아 쓰세요.

보기   역량   연안   열중

9 그는 한번 일을 시작하면 무섭게 몰입하였다.   (   )

10 나는 한 해 동안 실력을 키워서 다시 대회에 도전하였다.   (   )

걸린 시간   분   맞은 개수   개

 **교과** **어휘** – 고유어

국어

속내

겉으로 드러나지 아니한 속마음이나 일의 내막.

예 엄마는 우리의 **속내**를 떠보셨다.

▶**유의어** 속셈 마음속으로 하는 궁리나 계획.

국어

송골송골

땀이나 소름, 물방울 등이 살갗이나 표면에 잘게 많이 돋아나 있는 모양.

예 이마에 땀방울이 **송골송골** 맺혔다.

국어

수그리다

깊이 숙이다.

예 그는 고개를 **수그리고** 앉아 있었다.

국어

술렁거리다

자꾸 어수선하게 소란이 일다.

예 이상한 소문 때문에 사람들이 **술렁거렸다**.

▶**유의어** 떠들썩하다 여러 사람이 큰 소리로 시끄럽게 마구 떠들다.

사회

시달리다

괴로움이나 성가심을 당하다.

예 그는 빚쟁이에 **시달리면서도** 용기를 잃지 않았다.

▶**유의어** 볶이다 성가시게 구는 사람에게 괴롭힘을 당하다.

국어

시무룩하다

마음에 못마땅하여 말이 없고 얼굴에 언짢은 기색이 있다.

예 그녀는 무슨 일인지 **시무룩했다**.

▶**유의어** 뽀로통하다 불만스럽거나 못마땅하여 성난 빛이 얼굴에 조금 나타나 있다.

국어

싱그럽다

싱싱하고 향기롭거나 그런 분위기가 있다.

예 아침 공기가 **싱그럽고** 맑았다.

▶**유의어** 싱싱하다 시들거나 상하지 아니하고 생기가 있다.

과학

쏜살

쏜 화살이라는 뜻으로, 매우 빠른 것을 이르는 말.

예 쉬는 시간이 **쏜살**처럼 지나가 버렸다.

확인학습

1-3 다음 뜻풀이에 알맞은 낱말을 보기에서 찾아 쓰세요.

> 보기
>
> 수그리다   시달리다   시무룩하다   싱그럽다

1 깊이 숙이다.   (   )

2 싱싱하고 향기롭거나 그런 분위기가 있다.   (   )

3 마음에 못마땅하여 말이 없고 얼굴에 언짢은 기색이 있다.   (   )

4-7 다음 밑줄 친 낱말과 바꾸어 쓸 수 있는 낱말을 찾아 바르게 선으로 이으세요.

4 아이는 <u>시무룩한</u> 표정으로 말이 없었다.   •   • ㉠ 떠들썩한

5 그들의 <u>싱그러운</u> 젊음이 부럽게 느껴졌다.   •   • ㉡ 볶이는

6 그는 온종일 손님들에게 <u>시달리는</u> 일이 많•   • ㉢ 뽀로통한
았다.

7 그녀가 나타나자 시장 사람들이 모두 <u>술렁</u>•   • ㉣ 싱싱한
<u>거리는</u> 것이었다.

8-10 다음 낱말이 들어갈 문장을 찾아 바르게 선으로 이으세요.

8 속내   •   • ㉠ 나는 (   )처럼 뛰어서 1등으로 도착했다.

9 송골송골   •   • ㉡ 긴장을 했는지 그의 등에 땀이 (   ) 돋았다.

10 쏜살   •   • ㉢ 우리는 그의 (   )을/를 알 수 없어 답답했다.

걸린 시간   분   맞은 개수   개

심화 어휘 – 헷갈리기 쉬운 낱말

부수다
단단한 물체를 여러 조각이 나게 두드려 깨뜨리다.
예 화가 난 군중들이 유리창을 부수고 난동을 피웠다.

부시다
그릇 등을 씻어 깨끗하게 하다.
예 밥을 먹고 난 그릇을 물로 부셔 놓았다.

부추기다
남을 이리저리 들쑤셔서 어떤 일을 하게 만들다.
예 동생은 내가 엄마에게 먼저 말하도록 부추겼다.

부축하다
겨드랑이를 붙잡아 걷는 것을 돕다.
예 몸이 불편하신 할아버지를 부축해 드렸다.

부치다
편지나 물건 등을 일정한 수단이나 방법을 써서 상대에게로 보내다.
예 나는 친구에게 쓴 편지를 우체국에서 부쳤다.

붙이다
맞닿아 떨어지지 않게 하다.
예 우리는 창문에 단열재를 붙였다.

비기다
서로 실력이나 점수 등이 같거나 비슷하여 승부를 가리지 못하다.
예 우리는 상대팀과 결승전에서 비겨서 공동 1위를 하였다.

비키다
무엇을 피하여 있던 곳에서 한쪽으로 자리를 조금 옮기다.
예 내가 그쪽으로 다가가자 친구가 옆으로 비켰다.

확인학습

1-3 다음 낱말과 그 뜻풀이를 바르게 선으로 이으세요.

1 부시다 • • ㉠ 맞닿아 떨어지지 않게 하다.

2 부추기다 • • ㉡ 그릇 등을 씻어 깨끗하게 하다.

3 붙이다 • • ㉢ 남을 이리저리 들쑤셔서 어떤 일을 하게 만들다.

4-6 빈칸에 들어갈 알맞은 낱말을 [보기]에서 찾아 쓰세요.

> [보기] 부수고 부시고 비껴서 비켜서

4 이번 경기는 두 팀이 (   ) 승부를 가리지 못했다.

5 사람들이 한쪽으로 지나가도록 우리가 옆으로 (   ) 걸었다.

6 집 안에 갇혀 있는 아이들을 구하기 위해 경찰이 문을 (   ) 들어왔다.

7-8 다음 문장에 알맞은 낱말을 골라 ○표를 하세요.

7 가게 주인은 휴무 안내를 문에 (부치고, 붙이고) 가게 문을 닫았다.

8 나는 한 손으로 동생을 (부추기고, 부축하고) 한 손으로는 짐을 들었다.

9-10 다음 글에서 <u>잘못된</u> 부분을 찾아 바르게 고쳐 쓰세요.

> 할머니는 나에게 저녁을 다 먹었으면 먹은 그릇을 깨끗이 부수라고 하셨다. 설거지를 마치고 방으로 들어가자 삼촌이 군대에서 붙인 편지가 도착해 있었다.

9 (   ) ➡ (   )

10 (   ) ➡ (   )

걸린 시간 (   ) 분   맞은 개수 (   ) 개

14회

교과 어휘 – 한자어

사회

온화하다
溫 따뜻할 온 | 和 화목할 화

① 날씨가 맑고 따뜻하며 바람이 부드럽다.

예 낮에는 날씨가 온화해서 나들이하기 좋았다.

② 성격, 태도 등이 온순하고 부드럽다.

예 아버지는 성품이 온화하셔서 모두에게 존경을 받으셨다.

유의어▶ 온후하다 성격이 온화하고 덕이 많다.

국어

완비
完 완전할 완 | 備 갖출 비

빠짐없이 완전히 갖춤.

예 이곳은 주차장이 완비되어 있어 방문객이 많았다.

유의어▶ 구비 있어야 할 것을 빠짐없이 다 갖춤.

사회

외교
外 바깥 외 | 交 사귈 교

다른 나라와 정치적, 경제적, 문화적 관계를 맺는 일.

예 두 나라 간의 외교 문제를 해결하였다.

국어

외형
外 바깥 외 | 形 형상 형

사물의 겉모양.

예 그는 외형이 반듯하고 너그럽게 보였다.

유의어▶ 겉모습 겉으로 드러나 보이는 모습.

사회

우호
友 벗 우 | 好 좋을 호

개인끼리나 나라끼리 서로 사이가 좋음.

예 우리는 서로 우호 관계를 맺고 교류하였다.

국어

웅장하다
雄 수컷 웅 | 壯 씩씩할 장

규모가 거대하고 성대하다.

예 그들은 화려하고 웅장한 궁궐을 구경했다.

유의어▶ 웅대하다 웅장하고 크다.

과학

원유
原 근원 원 | 油 기름 유

땅속에서 뽑아낸, 정제하지 아니한 그대로의 기름.

예 우리는 원유를 수입하는 업체이다.

어휘 쑥 정제 불순물을 제거하여 순수하게 함.

국어

원통
冤 원통할 원 | 痛 아플 통

분하고 억울함.

예 그는 집을 잃은 원통한 마음을 하소연하였다.

확인 학습

▶정답 31쪽

1-3 다음 낱말과 그 뜻풀이를 바르게 선으로 이으세요.

1 외교 •

2 우호 •

3 원통 •

• ㉠ 분하고 억울함.

• ㉡ 개인끼리나 나라끼리 서로 사이가 좋음.

• ㉢ 다른 나라와 정치적, 경제적, 문화적 관계를 맺는 일.

4-6 다음 낱말의 뜻풀이에 알맞은 말을 골라 ○표를 하세요.

4 응장하다 규모가 (거대, 고대)하고 성대하다.

5 온화하다 성격, 태도 등이 (온순, 온난)하고 부드럽다.

6 원유 땅속에서 뽑아낸, (정제, 훈제)하지 아니한 그대로의 기름.

7-8 빈칸에 들어갈 알맞은 낱말을 보기에서 찾아 쓰세요.

보기   온화   완비   우호

7 집에 비상약을 (   )하고 있어서 마음이 놓였다.

8 겨울이지만 (   )한 날씨 덕분에 밖에서 뛰어 놀았다.

9-10 다음 밑줄 친 낱말과 바꾸어 쓸 수 있는 낱말을 보기에서 찾아 쓰세요.

보기   외형   응장   원통

9 겉모습만 보고는 성격이 어떤 사람인지 알 수 없다.   (   )

10 우리는 생각보다 크고 응대한 규모의 유적을 보고 놀랐다.   (   )

걸린 시간   분   맞은 개수   개

 교과 어휘 – 고유어

아련하다

똑똑히 분간하기 힘들게 아렴풋하다.

예 멀리서 노랫소리가 아련하게 들려왔다.

유의어 ▶ 희미하다 분명하지 못하고 어렴풋하다.

아리송하다

그런 것 같기도 하고 그렇지 않은 것 같기도 하여 분간하기 어렵다.

예 그때의 기억은 아리송하여 기억이 나지 않는다.

반의어 ◀ 또렷하다 엉클어지거나 흐리지 않고 분명하다.

알은체

어떤 일에 관심을 가지는 듯한 태도를 보임.

예 그는 남의 일에 알은체를 하며 귀찮게 굴었다.

애꿎다

아무런 잘못 없이 억울하다.

예 그들은 애꿎은 사람에게 잘못을 추궁했다.

어깃장

짐짓 어기대는 행동.

예 그는 자기 몫도 내놓으라며 어깃장을 부렸다.

어휘 쏙 어기대다 순순히 따르지 아니하고 못마땅한 말이나 행동으로 뻗대다.

어림없다

도저히 될 가망이 없다.

예 한 번에 합격하는 것은 어림없는 일이었다.

유의어 ▶ 여지없다 달리 어찌할 방법이나 가능성이 없다.

어우러지다

여럿이 조화되어 한 덩어리나 한판을 크게 이루게 되다.

예 노래와 춤이 어우러진 아름다운 무대였다.

유의어 ▶ 어울리다 여럿이 모여 한 덩어리나 한판이 되다.

얼싸안다

두 팔을 벌리어 껴안다.

예 나는 친구들과 얼싸안고 졸업을 축하했다.

확인 학습

1-3 다음 뜻풀이에 알맞은 낱말을 보기 에서 찾아 쓰세요.

보기
| 아련하다 | 애꿎다 | 어우러지다 | 얼싸안다 |

1 두 팔을 벌리어 껴안다. (   )

2 아무런 잘못 없이 억울하다. (   )

3 똑똑히 분간하기 힘들게 아렴풋하다. (   )

4-6 다음 밑줄 친 낱말과 바꾸어 쓸 수 있는 낱말을 찾아 바르게 선으로 이으세요.

4 우리에게는 전혀 <u>어림없는</u> 소리였다. •   • ㉠ 어울리는

5 산과 바다가 <u>어우러진</u> 풍경이 멋있었다. •   • ㉡ 여지없는

6 나는 우리들만의 <u>아련한</u> 추억을 떠올렸다. •   • ㉢ 희미한

7-9 다음 낱말이 들어갈 문장을 찾아 바르게 선으로 이으세요.

7 알은체 •   • ㉠ 그는 (   )을/를 놓으며 고집을 피웠다.

8 애꿎게 •   • ㉡ 나는 착한 아이를 (   ) 오해해서 미안했다.

9 어깃장 •   • ㉢ 잘 모르면서 (   )을/를 하는 친구가 얄미웠다.

10 보기 의 밑줄 친 낱말과 뜻이 <u>반대</u>인 낱말은 무엇인가요?

보기
누구의 말이 맞는지 <u>아리송해서</u> 나는 대답을 아꼈다.

① 또렷해서   ② 불확실해서   ③ 애매해서   ④ 흐릿해서   ⑤ 희미해서

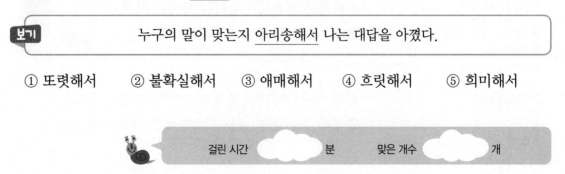

걸린 시간 　　　 분　　　 맞은 개수 　　　 개

심화 어휘 – 주제별 한자 성어

★ 속담과 관련된 한자 성어

계란유골
鷄 닭 계 | 卵 알 란 | 有 있을 유 | 骨 뼈 골

달걀에도 **뼈**가 있다는 뜻으로, 운수가 나쁜 사람은 모처럼 좋은 기회를 만나도 역시 일이 잘 안됨을 이르는 말.

예 겨우 취업에 성공했는데 회사가 문을 닫다니 **계란유골**이구나.

교각살우
矯 바로잡을 교 | 角 뿔 각 | 殺 죽일 살 | 牛 소 우

소의 뿔을 바로잡으려다가 소를 죽인다는 뜻으로, 잘못된 점을 고치려다가 그 방법이 지나쳐 일을 그르침을 이르는 말.

예 우리는 범죄자를 잡기 위해 무고한 사람의 인권을 침해하는 **교각살우**의 잘못을 범하지 않아야 한다.

아전인수
我 나 아 | 田 밭 전 | 引 끌 인 | 水 물 수

자기 논에 물 대기라는 뜻으로, 자기에게만 이롭게 되도록 생각하거나 행동함을 이르는 말.

예 그는 남의 일에는 엄격하더니 자신의 일에는 **아전인수**로 쉽게 넘어가는 것이었다.

오비이락
烏 까마귀 오 | 飛 날 비 | 梨 배나무 이 | 落 떨어질 락

까마귀 날자 배 떨어진다는 뜻으로, 아무 관계도 없이 한 일이 공교롭게도 때가 같아 억울하게 의심을 받게 됨을 이르는 말.

예 우리가 도착한 날 도둑이 들어서, **오비이락**으로 의심을 받았다.

청천벽력
靑 푸를 청 | 天 하늘 천 | 霹 벼락 벽 | 靂 벼락 력

맑게 갠 하늘에서 치는 날벼락이라는 뜻으로, 뜻밖에 일어난 큰 변고나 사건을 이르는 말.

예 갑자기 아버지가 돌아가셨다는 **청천벽력** 같은 소식을 들었다.

★ 궁지에 빠진 상황

진퇴양난
進 나아갈 진 | 退 물러날 퇴 | 兩 두 양 | 難 어려울 난

이러지도 저러지도 못하는 어려운 처지.

예 그는 벼랑 끝에 몰리는 **진퇴양난**에 처했다.

진퇴유곡
進 나아갈 진 | 退 물러날 퇴 | 維 바 유 | 谷 골 곡

이러지도 저러지도 못하고 꼼짝할 수 없는 궁지.

예 우리는 어떤 문제도 해결하지 못한 채 **진퇴유곡**에 빠져 있었다.

1-3 다음 한자 성어와 그 뜻풀이를 바르게 선으로 이으세요.

1 교각살우 •　　　　　　　• ㉠ 이러지도 저러지도 못하는 어려운 처지.

2 오비이락 •　　　　　　　• ㉡ 잘못된 점을 고치려다가 그 방법이 지나쳐 일을 그르침을 이르는 말.

3 진퇴양난 •　　　　　　　• ㉢ 아무 관계도 없이 한 일이 공교롭게도 때가 같아 억울하게 의심을 받게 됨을 이르는 말.

4-5 다음 한자 성어의 뜻풀이에 알맞은 말을 골라 ○표를 하세요.

4 진퇴유곡　이러지도 저러지도 못하고 (꼼짝할, 짐작할) 수 없는 궁지.

5 아전인수　(자기, 상대방)에게만 이롭게 되도록 생각하거나 행동함을 이르는 말.

6-8 빈칸에 들어갈 알맞은 한자 성어를 보기 에서 찾아 쓰세요.

> 보기　　　　　계란유골　　　교각살우　　　아전인수　　　청천벽력

6 고향이 모두 물에 잠기게 되었다니 (　　　　　) 같은 소리였다.

7 그는 자신의 잘못은 쉽게 넘기면서 (　　　　　) 격으로 생각하는 편이었다.

8 장난감을 사려고 줄을 섰는데 하필 내 앞에서만 줄이 끊기다니, (　　　　　)(이)라고 할 수 있다.

9 다음 밑줄 친 상황을 표현하기에 알맞은 한자 성어는 무엇인가요?

> 소풍 가는 날 버스에 같이 앉을 짝을 정하기로 하였다. 그런데 지금 내 옆에 앉은 짝도 나와 같이 가고 싶어 하고, 옆집에 사는 친구도 나와 같이 앉고 싶어 해서 나는 이러지도 저러지도 못하는 곤란한 상황이었다.

① 계란유골　　② 교각살우　　③ 아전인수　　④ 오비이락　　⑤ 진퇴양난

 걸린 시간　　　　　분　　　맞은 개수　　　　　개

15회

공부한 날 ◯ 월 ◯ 일

교과 어휘 – 한자어

위급
危 위태할 위 | 急 급할 급

몹시 위태롭고 급함.
예 우리는 사건이 위급에 처해 있음을 알았다.

▶유의어 위험 해로움이나 손실이 생길 우려가 있음. 또는 그런 상태.

유기적
有 있을 유 | 機 틀 기 | 的 과녁 적

생물체처럼 전체를 구성하고 있는 각 부분이 서로 밀접하게 관련을 가지고 있어서 떼어 낼 수 없는.
예 지구의 생명체들은 모두 유기적으로 살아간다.

유려하다
流 흐를 유 | 麗 고울 려

글이나 말, 곡선 등이 거침없이 미끈하고 아름답다.
예 한옥 처마의 유려한 곡선이 아름답다.

▶유의어 유창하다 말을 하거나 글을 읽는 것이 물 흐르듯이 거침이 없다.

유배
流 귀양 보낼 유 | 配 귀양 보낼 배

예전에 죄인을 귀양 보내던 일.
예 그는 죄인으로 몰려 멀리 유배를 당했다.

▶유의어 귀양 고려·조선 시대에, 죄인을 먼 시골이나 섬으로 보내어 일정한 기간 동안 살게 하던 형벌.

유별나다
有 있을 유 | 別 다를 별

보통의 것과 아주 다르다.
예 그녀는 유별나게 깔끔한 편이었다.

▶유의어 남다르다 보통의 사람과 유난히 다르다.

유포
流 흐를 유 | 布 베포

세상에 널리 퍼짐. 또는 세상에 널리 퍼뜨림.
예 그는 불법 복제물 유포 혐의를 받았다.

응용
應 응할 응 | 用 쓸 용

이론이나 지식, 원리 등을 실제에 적용하거나 이용함.
예 그들은 기술의 응용 능력이 뛰어났다.

▶유의어 활용 충분히 잘 이용함.

인권
人 사람 인 | 權 권세 권

인간으로서 당연히 가지는 기본적 권리.
예 우리는 소수자의 인권 존중을 위해 노력하였다.

1-3 다음 낱말과 그 뜻풀이를 바르게 선으로 이으세요.

1　　유배　•　　　　　　　　　• ㉠ 예전에 죄인을 귀양 보내던 일.

2　　유포　•　　　　　　　　　• ㉡ 인간으로서 당연히 가지는 기본적 권리.

3　　인권　•　　　　　　　　　• ㉢ 세상에 널리 퍼짐. 또는 세상에 널리 퍼뜨림.

4-6 다음 낱말의 뜻풀이에 알맞은 말을 골라 ○표를 하세요.

4　　유별나다　　보통의 것과 아주 (같다, 다르다).

5　　응용　　이론이나 지식, 원리 등을 실제에 (투자, 적용)하거나 이용함.

6　　유려하다　　글이나 말, 곡선 등이 거침없이 (움직이고, 미끈하고) 아름답다.

7-8 빈칸에 들어갈 알맞은 낱말을 보기 에서 찾아 쓰세요.

> 보기　　　　　　위급　　유기적　　유포

7　몸속의 세포들은 서로 (　　　　) 관계를 유지한다.

8　그들은 (　　　　) 상황 속에서도 냉철하게 행동하였다.

9-10 다음 밑줄 친 낱말과 바꾸어 쓸 수 있는 낱말을 보기 에서 찾아 쓰세요.

> 보기　　　　　　위급　　유배　　응용

9　나는 수업 시간에 배운 지식을 활용하여 답을 찾아냈다.　　　(　　　　)

10　구조대원들은 자신의 목숨이 위험한 순간에도 최선을 다한다.　　　(　　　　)

걸린 시간 　　　　 분　　　맞은 개수 　　　　 개

공부한 날 ◯월 ◯일

교과 어휘 – 다의어

비치다

① 빛이 나서 환하게 되다.

예 호숫가에 달빛이 **비쳐**서 환하게 빛났다.

② 물체의 그림자나 영상이 나타나 보이다.

예 창문에 사람 그림자가 **비치**는 것을 보았다.

③ 투명하거나 얇은 것을 통하여 드러나 보이다.

예 겉옷이 얇아서 안에 입은 옷이 훤히 **비쳤**다.

쌓다

① 여러 개의 물건을 겹겹이 포개어 얹어 놓다.

예 엄마는 부엌에 설거지한 그릇을 **쌓**아 놓으셨다.

② 경험, 기술, 업적, 지식 등을 거듭 익혀 많이 이루다.

예 나는 내년까지 실력을 **쌓**아서 꼭 좋은 성적을 거두겠다.

교과 어휘 – 동음이의어

발전¹
發 필 발 | 展 펼 전

더 낫고 좋은 상태나 더 높은 단계로 나아감.

예 그는 의학의 발전에 큰 기여를 하였다.

발전²
發 필 발 | 電 번개 전

전기를 일으킴.

예 풍력 발전으로 만드는 전기는 친환경적이다.

부호¹
符 부신 부 | 號 부르짖을 호

일정한 뜻을 나타내기 위하여 따로 정하여 쓰는 기호.

예 우리는 여러 가지 **부호**를 사용하여 통신을 했다.

부호²
富 부유할 부 | 豪 호걸 호

재산이 넉넉하고 세력이 있는 사람.

예 그는 예전부터 마을의 부호로 알려져 있었다.

1-2 밑줄 친 낱말의 뜻으로 알맞은 것의 기호를 쓰세요.

1 선생님은 검사를 마친 공책들을 책상에 <u>쌓아</u> 두셨다. ( )
⑦ 여러 개의 물건을 겹겹이 포개어 얹어 놓다.
ⓒ 경험, 기술, 업적, 지식 등을 거듭 익혀 많이 이루다.

2 우리는 다른 나라의 <u>부호</u>를 만나 계약에 성공하였다. ( )
⑦ 재산이 넉넉하고 세력이 있는 사람.
ⓒ 일정한 뜻을 나타내기 위하여 따로 정하여 쓰는 기호.

3-5 다음 밑줄 친 낱말의 뜻풀이를 찾아 바르게 선으로 이으세요.

3 강물에 하얀 구름이 <u>비쳤다</u>. • • ⑦ 빛이 나서 환하게 되다.

4 햇빛이 방 안에 <u>비쳐</u> 눈부셨다. • • ⓒ 물체의 그림자나 영상이 나타나 보이다.

5 종이 뒤의 검은 글씨가 <u>비쳤다</u>. • • ⓒ 투명하거나 얇은 것을 통하여 드러나 보이다.

6-7 빈칸에 들어갈 알맞은 낱말을 보기 에서 찾아 쓰세요.

> 보기 발전   부호   비치고   쌓고

6 나는 특수한 ( )을/를 넣어 공식을 완성하였다.

7 그는 수많은 경험을 ( ) 나서 그 분야의 전문가가 되었다.

8-9 다음 뜻풀이에 알맞은 낱말을 보기 에서 찾아 기호를 쓰세요.

> 보기 승호: 태양열 ⑦발전은 공해가 줄어들지만 비용이 많이 든다는 단점이 있어.
> 유진: 그렇지만 이 기술이 앞으로 ⓒ발전하면 전기를 만드는 데 유용하게 쓰일 거야.

8 전기를 일으킴. ( )

9 더 낫고 좋은 상태나 더 높은 단계로 나아감. ( )

걸린 시간   분   맞은 개수   개

공부한 날 ◯ 월 ◯ 일

🐙 심화 어휘 - 주제별 속담

★ 사람의 심리와 행동

고기도 먹어 본 사람이 많이 먹는다	무슨 일이든지 늘 하던 사람이 더 잘한다는 말. 예 고기도 먹어 본 사람이 많이 먹는다고, 매일 공부만 하느라 놀아 본 적이 없어서 어떻게 노는지 모르겠다.
목마른 놈이 우물 판다	제일 급하고 일이 필요한 사람이 그 일을 서둘러 하게 되어 있다는 말. 예 목마른 놈이 우물 판다고, 급하면 자기가 먼저 와서 부탁하겠지.
울며 겨자 먹기	싫은 일을 억지로 마지못하여 함을 이르는 말. 예 나는 울며 겨자 먹기로 동생의 부탁을 들어 주었다.

🐙 심화 어휘 - 주제별 관용어

★ 뒤와 관련된 관용어

뒤가 켕기다	약점이나 잘못이 있어 마음이 편하지 않다. 예 그는 거짓말한 것이 뒤가 켕겼는지 자리에서 빨리 일어났다.
뒤로 물러나다	직임이나 사회 활동에서 은퇴하다. 예 아버지는 회사에서 뒤로 물러나 여가를 즐기신다. 어휘 쏙 직임 직무상 맡은 임무.
뒤를 사리다	뒷일이 잘못될까 보아 미리 발뺌을 하거나 조심하다. 예 나는 좋지 않은 소문이 날까 봐 항상 뒤를 사리고 조심했다.
뒤를 캐다	드러나지 않은 속을 알아내려고 은밀히 뒷조사를 하다. 예 우리는 정체를 숨긴 그의 뒤를 캐어 보았다.

1-3 다음 관용어와 그 뜻풀이를 바르게 선으로 이으세요.

1 뒤가 켕기다 •

2 뒤로 물러나다 •

3 뒤를 사리다 •

• ㉠ 직임이나 사회 활동에서 은퇴하다.

• ㉡ 약점이나 잘못이 있어 마음이 편하지 않다.

• ㉢ 뒷일이 잘못될까 보아 미리 발뺌을 하거나 조심하다.

4-5 다음 뜻풀이에 알맞은 속담을 보기 에서 찾아 기호를 쓰세요.

> 보기 ㉠ 울며 겨자 먹기
> ㉡ 목마른 놈이 우물 판다
> ㉢ 고기도 먹어 본 사람이 많이 먹는다

4 싫은 일을 억지로 마지못하여 함을 이르는 말. (   )

5 무슨 일이든지 늘 하던 사람이 더 잘한다는 말. (   )

6-7 빈칸에 들어갈 알맞은 낱말을 보기 에서 찾아 쓰세요.

> 보기 　　　　　겨자　　고기　　땅　　우물

6 목마른 놈이 (   ) 판다고, 정말 필요한 사람은 먼저 행동하게 되어 있다.

7 (   )도 먹어 본 사람이 많이 먹는다고, 용돈을 써 본 적이 없으니 용돈을 받아도 무엇을 사야 할지 모르겠다.

8 다음 상황에 알맞은 관용어를 골라 ○표를 하세요.

> 　그는 우리들이 없는 동안 무슨 잘못을 해서 뒤가 (켕기는지, 당기는지) 자꾸 우리들의 눈치를 보고 있었다. 우리는 그가 대체 무슨 일을 벌였는지 다른 사람에게 물어봐서 그의 뒤를 (밀기로, 캐기로) 하였다.

걸린 시간　　　　　분　　　맞은 개수　　　　　개

16회

교과 어휘 – 한자어

사회

인문
人 사람 인 | 文 글월 문

인류의 문화.

예 선생님은 세계의 자연과 **인문** 환경을 설명하셨다.

국어

인위적
人 사람 인 | 爲 할 위 | 的 과념 적

자연의 힘이 아닌 사람의 힘으로 이루어지는. 또는 그런 것.

예 이곳은 **인위적**으로 만든 잔디이다.

유의어 인공적 사람의 힘으로 만든. 또는 그런 것.
반의어 자연적 사람의 손길이 가지 아니한 자연 그대로의 모습을 지닌. 또는 그런 것.

국어

인증
認 알 인 | 證 증거 증

문서나 행위가 정당한 절차로 이루어졌다는 것을 공적 기관이 증명함.

예 요즘은 지문으로 본인 **인증**을 할 수 있다.

어휘 쏙 정당하다 이치에 맞아 올바르고 마땅하다.

국어

일화
逸 숨을 일 | 話 말할 화

세상에 널리 알려지지 아니한 흥미 있는 이야기.

예 엄마는 아빠와 나의 **일화**를 동생에게 말해 주셨다.

사회

입각
立 설 입 | 脚 다리 각

어떤 사실이나 주장 등에 근거를 두어 그 입장에 섬.

예 그는 도덕적 원칙에 **입각**하여 바르게 행동하였다.

국어

자비
慈 사랑할 자 | 悲 슬플 비

남을 깊이 사랑하고 가엾게 여김.

예 그가 베푼 **자비**의 손길에 감사드렸다.

유의어 자애 아랫사람에게 베푸는 도타운 사랑.

과학

자전
自 스스로 자 | 轉 구를 전

천체가 스스로 고정된 축을 중심으로 회전함.

예 지구의 **자전**은 24시간마다 일어난다.

어휘 쏙 천체 우주에 존재하는 모든 물체.

국어

작물
作 지을 작 | 物 만물 물

논밭에 심어 가꾸는 곡식이나 채소.

예 우리는 여러 **작물**을 수확하여 팔았다.

유의어 농작물 논밭에 심어 가꾸는 곡식이나 채소

확인 학습

1-3 다음 낱말과 그 뜻풀이를 바르게 선으로 이으세요.

1 인문 •　　　　　　　• ㉠ 인류의 문화.

2 자전 •　　　　　　　• ㉡ 논밭에 심어 가꾸는 곡식이나 채소.

3 작물 •　　　　　　　• ㉢ 천체가 스스로 고정된 축을 중심으로 회전함.

4-6 다음 낱말의 뜻풀이에 알맞은 말을 골라 ○표를 하세요.

4 일화　세상에 널리 알려지지 아니한 흥미 (있는, 없는) 이야기.

5 자비　남을 깊이 사랑하고 (아름답게, 가엾게) 여김.

6 인위적　자연의 힘이 아닌 (우주, 사람)의 힘으로 이루어지는. 또는 그런 것.

7-9 빈칸에 들어갈 알맞은 낱말을 보기 에서 찾아 쓰세요.

> 보기　　　　　인증　　입각　　자전　　작물

7 일출과 일몰은 지구의 (　　　　)에 의한 현상이다.

8 그들은 철저하게 사실에 (　　　　)한 주장을 펼쳤다.

9 서류의 심사 통과를 위해서는 정부의 (　　　　)을 받아야 했다.

10 보기 의 밑줄 친 낱말과 뜻이 <u>반대인</u> 낱말은 무엇인가요?

> 보기　　　　정원을 계속 손질했더니 <u>인위적</u>인 느낌이 났다.

① 독립적　　② 영구적　　③ 의존적　　④ 인공적　　⑤ 자연적

　　걸린 시간　　　　　분　　　맞은 개수　　　　　개

교과 어휘 – 고유어

국어

얼토당토않다

전혀 합당하지 아니하다.

예 그 아이는 얼토당토않은 거짓말로 우리를 속였다.

어휘 쏙 합당하다 어떤 기준, 조건, 용도, 도리 등에 꼭 알맞다.

국어

업신여기다

교만한 마음에서 남을 낮추어 보거나 하찮게 여기다.

예 나는 우리를 업신여기는 그들을 참을 수 없었다.

유의어 멸시하다 업신여기거나 하찮게 여겨 깔보다.

반의어 떠받들다 공경하여 섬기거나 잘 위하다.

국어

에돌아가다

곧바로 가지 않고 피해서 멀리 돌아가다.

예 그는 사람들을 피해 산길로 에돌아갔다.

사회

여물다

① 과실이나 곡식 등이 알이 들어 딴딴하게 잘 익다.

예 올해는 옥수수가 잘 여물었다.

② 일 처리나 언행이 옹골차고 여무지다.

예 그는 손끝이 여물어 무슨 일이든 꼼꼼히 해냈다.

유의어 영글다 과실이나 곡식 등이 알이 들어 딴딴하게 잘 익다.

국어

오락가락하다

① 계속해서 왔다 갔다 하다.

예 나는 집 앞을 오락가락하며 그를 기다렸다.

② 생각이나 정신이 있다 없다 하다.

예 그녀는 충격으로 정신이 오락가락했다.

유의어 갈팡질팡하다 갈피를 잡지 못하고 이리저리 헤매다.

국어

오싹하다

몹시 무섭거나 추워서 갑자기 몸이 움츠러들거나 소름이 끼치다.

예 뒤에 누가 있는 것 같아서 등이 오싹했다.

국어

오죽하다

정도가 매우 심하거나 대단하다.

예 그의 처지가 오죽했으면 도둑질을 할까 싶었다.

국어

온데간데없다

감쪽같이 자취를 감추어 찾을 수가 없다.

예 방금 전까지 있던 사람이 온데간데없었다.

어휘 쏙 감쪽같다 꾸미거나 고친 것이 전혀 알아챌 수 없을 정도로 티가 나지 아니하다.

확인 학습

 정답 31쪽

16 회

1-3 다음 뜻풀이에 알맞은 낱말을 보기 에서 찾아 쓰세요.

> **보기**
>
> 에돌아가다   오싹하다   오죽하다   온데간데없다

1 정도가 매우 심하거나 대단하다.   (   )

2 곧바로 가지 않고 피해서 멀리 돌아가다.   (   )

3 몹시 무섭거나 추워서 갑자기 몸이 움츠러들거나 소름이 끼치다.   (   )

4-6 다음 밑줄 친 낱말과 바꾸어 쓸 수 있는 낱말을 찾아 바르게 선으로 이으세요.

4 그는 은근히 친구를 <u>멸시하고</u> 있었다. •   • ㉠ 업신여기고

5 나는 어디로 갈지 <u>갈팡질팡하고</u> 있다. •   • ㉡ 여물고

6 올해 곡식들이 제대로 <u>영글고</u> 채소도   • ㉢ 오락가락하고
잘 자랐다.

7-9 다음 낱말이 들어갈 문장을 찾아 바르게 선으로 이으세요.

7 얼토당토않은 •   • ㉠ 그들은 (   ) 흔적을 찾아 헤맸다.

8 에돌아가는 •   • ㉡ 여기는 (   ) 길이지만 경치는 더 좋다.

9 온데간데없는 •   • ㉢ 우리는 (   ) 계획에 찬성할 수 없었다.

10 보기 의 밑줄 친 낱말의 뜻풀이로 알맞은 것의 기호를 쓰세요.

> **보기**
>
> 나는 일의 마무리가 항상 <u>여물고</u> 깔끔한 편이다.

㉠ 일 처리나 언행이 옹골차고 여무지다.
㉡ 과실이나 곡식 등이 알이 들어 딴딴하게 잘 익다.

걸린 시간 (   ) 분   맞은 개수 (   ) 개

 **심화 어휘** - 헷갈리기 쉬운 낱말

살지다

① 살이 많고 튼실하다.

예 아주 **살지고** 커다란 고등어를 구웠다.

② 땅이 기름지다.

예 **살진** 밭에는 어떤 작물을 심어도 잘 자란다.

살찌다

몸에 살이 필요 이상으로 많아지다.

예 겨울에 갑자기 **살쪄서** 바지가 작아졌다.

완고하다

頑 완고할 완 | 固 굳을 고

융통성이 없이 올곧고 고집이 세다.

예 그의 **완고한** 성격은 사람들을 멀어지게 만들었다.

완곡하다

婉 순할 완 | 曲 굽을 곡

말하는 투가, 듣는 사람의 감정이 상하지 않도록 모나지 않고 부드럽다.

예 나는 **완곡하게** 그의 부탁을 거절했다.

우러나다

생각, 감정, 성질 등이 마음속에서 저절로 생겨나다.

예 그 사람에 대한 존경은 조금도 **우러나지** 않았다.

우러르다

마음속으로 공경하여 떠받들다.

예 모두가 한마음으로 선생님을 **우러르며** 따랐다.

일절

一 하나 일 | 切 끊을 절

아주, 전혀, 절대로의 뜻으로, 흔히 행위를 그치게 하거나 어떤 일을 하지 않을 때에 쓰는 말.

예 이곳은 쓰레기 투기가 **일절** 금지되었다.

일체

一 하나 일 | 切 모두 체

모든 것. 모든 것을 다.

예 우리가 음식 **일체**를 준비한다고 알렸다.

확인 학습

1-3 다음 낱말과 그 뜻풀이를 바르게 선으로 이으세요.

1 살지다 • • ㉠ 살이 많고 튼실하다.

2 완고하다 • • ㉡ 마음속으로 공경하여 떠받들다.

3 우러르다 • • ㉢ 융통성이 없이 올곧고 고집이 세다.

4-6 빈칸에 들어갈 알맞은 낱말을 보기 에서 찾아 쓰세요.

> 보기   살지고   살찌고   완고하고   완곡하고

4 나는 (   ) 부은 몸을 운동으로 가꾸어 보기로 했다.

5 이곳은 땅이 (   ) 저수지도 가까워서 벼농사가 잘된다.

6 그는 우리가 서운해하지 않도록 (   ) 부드럽게 우리를 설득했다.

7-8 다음 문장에 알맞은 낱말을 골라 ○표를 하세요.

7 정성이 (우러나는, 우러르는) 상차림에 감동을 받았다.

8 우리는 고향을 떠나온 후로 사람들과 연락을 (일절, 일체) 끊었다.

9-10 다음 글에서 잘못된 부분을 찾아 바르게 고쳐 쓰세요.

> 우리는 수재민들에게 필요한 모든 음식과 물품을 일절 부담하겠다고 마을 분들께 말씀드렸다. 그러나 생각보다 완곡하신 마을 분들께서 우리의 도움을 단호하게 거절하셨다.

9 (   ) ➔ (   )

10 (   ) ➔ (   )

걸린 시간   분   맞은 개수   개

교과 어휘 – 한자어

국어

장엄
莊 씩씩할 장 | 嚴 엄할 엄

씩씩하고 웅장하며 위엄 있고 엄숙함.
예 그는 혼란한 상황에서도 **장엄**과 기품을 보여 주었다.

어휘 쏙 위엄 존경할 만한 위세가 있어 점잖고 엄숙함.

국어

재정
財 재물 재 | 政 정사 정

개인, 가계, 기업 등의 경제 상태.
예 기업의 **재정**이 좋아져서 사업을 확장하였다.

유의어 재무 돈이나 재산에 관한 일.

과학

재질
材 재목 재 | 質 바탕 질

재료가 가지는 성질.
예 이 탁자는 좋은 **재질**의 나무로 만들어졌다.

사회

재해
災 재앙 재 | 害 해로울 해

재앙으로 말미암아 받는 피해.
예 태풍으로 농작물이 큰 **재해**를 입었다.

유의어 재앙 뜻하지 아니하게 생긴 불행한 변고.

사회

적도
赤 붉을 적 | 道 길 도

위도의 기준이 되는 선.
예 **적도** 지방은 날씨가 덥고 강수량이 많다.

국어

적자
赤 붉을 적 | 字 글자 자

지출이 수입보다 많아서 생기는 손실액.
예 이번 달은 손님이 없어서 **적자**가 심했다.

유의어 결손 수입보다 지출이 많아서 생기는 손실.
반의어 흑자 수입이 지출보다 많아 이익이 생기는 일.

과학

전도
傳 전할 전 | 導 이끌 도

열 또는 전기가 물체 속을 이동하는 일.
예 열의 **전도**에 의해 열 손실이 발생하기도 한다.

사회

전용
專 오로지 전 | 用 쓸 용

남과 같이 쓰지 않고 혼자서만 쓰거나 한 가지 목적으로만 씀.
예 이곳은 군인 **전용** 병원으로, 민간인은 쓸 수 없다.

반의어 공용 공공의 목적으로 씀. 또는 그런 물건.

1-3 다음 낱말과 그 뜻풀이를 바르게 선으로 이으세요.

1 장엄 •   • ㉠ 위도의 기준이 되는 선.

2 적도 •   • ㉡ 씩씩하고 웅장하며 위엄 있고 엄숙함.

3 전도 •   • ㉢ 열 또는 전기가 물체 속을 이동하는 일.

4-6 다음 낱말의 뜻풀이에 알맞은 말을 골라 ○표를 하세요.

4 재질 재료가 가지는 (가격, 성질).

5 재해 재앙으로 말미암아 받는 (슬픔, 피해).

6 적자 지출이 수입보다 (적어서, 많아서) 생기는 손실액.

7-9 빈칸에 들어갈 알맞은 낱말을 보기 에서 찾아 쓰세요.

> 보기   장엄   재정   재질   전용

7 자동차 (   ) 도로는 보행자들이 걸을 수 없다.

8 나라의 (   )이 악화되면서 실업자들이 늘어났다.

9 좋은 (   )(으)로 만든 가방은 튼튼해서 오래 사용할 수 있다.

10 다음 중 짝 지어진 낱말의 관계가 나머지와 <u>다른</u> 것을 고르세요.

> ㉠ 재정 – 재무   ㉡ 재해 – 재앙   ㉢ 적자 – 흑자   ㉣ 전용 – 공용

걸린 시간   분   맞은 개수   개

교과 어휘 - 고유어

우락부락하다
몸집이 크고 얼굴이 험상궂게 생긴 데가 있다.
예 아저씨는 우락부락하게 생겼지만 마음은 착했다.
▶유의어 험상궂다 모양이나 상태가 매우 거칠고 험하다.

우람하다
기골이 장대하다.
예 그는 우람한 체격에 몸이 건장했다.
어휘 쏙 기골 건장하고 튼튼한 체격.

우리다
① 어떤 물건을 액체에 담가 맛이나 빛깔 등이 액체 속으로 빠져나오게 하다.
예 나는 녹차를 따뜻한 물에 우려 마셨다.
② 꾀거나 위협하거나 하여 물품 등을 취하다.
예 불량배들이 학생들에게 돈을 우려 달아났다.

우물쭈물하다
행동 등을 분명하게 하지 못하고 자꾸 망설이며 몹시 흐리멍덩하게 하다.
예 그는 우물쭈물하며 대답을 망설였다.
▶유의어 머뭇거리다 말이나 행동을 선뜻 행하지 못하고 자꾸 망설이다.

으스스하다
차거나 싫은 것이 몸에 닿았을 때 크게 소름이 돋는 느낌이 있다.
예 동굴 안에 들어서니 으스스하고 추운 느낌이었다.
▶유의어 으슥하다 무서움을 느낄 만큼 깊숙하고 후미지다.

윽박지르다
심하게 짓눌러 기를 꺾다.
예 언니는 나를 계속 윽박질렀다.

어휘 쏙 짓누르다 심리적으로 심하게 억압하다.

이바지하다
도움이 되게 하다.
예 그분은 평생을 의료 봉사에 이바지하셨다.

▶유의어 공헌하다 힘을 써 이바지하다.

일찌감치
조금 이르다고 할 정도로 얼른.
예 우리는 일찌감치 저녁을 먹고 잠자리에 들었다.

▶정답 32쪽

1-3 다음 뜻풀이에 알맞은 낱말을 보기 에서 찾아 쓰세요.

> 보기
>
> 우람하다   으스스하다   윽박지르다   이바지하다

1 기골이 장대하다.   (   )

2 심하게 짓눌러 기를 꺾다.   (   )

3 차거나 싫은 것이 몸에 닿았을 때 크게 소름이 돋는 느낌이 있다.   (   )

4-6 다음 밑줄 친 낱말과 바꾸어 쓸 수 있는 낱말을 찾아 바르게 선으로 이으세요.

4 그는 인상이 <u>우락부락하고</u> 무서웠다.   •   • ㉠ 공헌하고

5 선생님은 국가에 <u>이바지하고</u> 계셨다.   •   • ㉡ 머뭇거리고

6 내가 <u>우물쭈물하고</u> 있으니 친구가 먼   •   • ㉢ 험상궂고
저 말했다.

7-9 다음 낱말이 들어갈 문장을 찾아 바르게 선으로 이으세요.

7 우람하게 •   • ㉠ 나는 이번 대회는 (   ) 포기했다.

8 우리게 •   • ㉡ 그는 (   ) 생겨서 운동 선수 같았다.

9 일찌감치 •   • ㉢ 순진한 사람들에게 돈을 (   ) 두지 않을
것이다.

10 보기 의 밑줄 친 낱말의 뜻으로 알맞은 것의 기호를 쓰세요.

> 보기
>
> 멸치를 <u>우려서</u> 육수를 만들면 국물 맛이 진해진다.

㉠ 꾀거나 위협하여 물품 등을 취하다.
㉡ 어떤 물건을 액체에 담가 맛이나 빛깔 등이 액체 속으로 빠져나오게 하다.

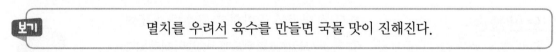

걸린 시간   분   맞은 개수   개

공부한 날 ◯ 월 ◯ 일

심화 어휘 - 주제별 한자 성어

★ 세태의 비정함

가렴주구
苛 잔풀 가 | 斂 거둘 렴 | 誅 벨 주 | 求 구할 구

세금을 가혹하게 거두어들이고, 무리하게 재물을 빼앗음.

예 벼슬아치들의 **가렴주구** 때문에 백성들이 고통을 당했다.

감탄고토
甘 달 감 | 呑 삼킬 탄 | 苦 괴로울 고 | 吐 토할 토

달면 삼키고 쓰면 뱉는다는 뜻으로, 자신의 비위에 따라서 사리의 옳고 그름을 판단함을 이르는 말.

예 자신에게는 유리하게 해석하고 남에게는 엄격하게 적용하는 **감탄고토**의 자세를 버려야 한다.

토사구팽
兔 토끼 토 | 死 죽을 사 | 狗 개 구 | 烹 삶을 팽

필요할 때는 쓰고 필요 없을 때는 야박하게 버리는 경우를 이르는 말.

예 그는 회사에 충성을 다했지만 일이 없어지자 **토사구팽** 당했다.

어휘 쏙 **야박하다** 야멸치고 인정이 없다.

★ 오만하고 무례함

방약무인
傍 곁 방 | 若 같을 약 | 無 없을 무 | 人 사람 인

곁에 사람이 없는 것처럼 아무 거리낌 없이 함부로 말하고 행동하는 태도가 있음.

예 아들의 **방약무인**한 태도에 아버지가 엄하게 꾸지람을 했다.

안하무인
眼 눈 안 | 下 아래 하 | 無 없을 무 | 人 사람 인

눈 아래에 사람이 없다는 뜻으로, 방자하고 교만하여 다른 사람을 업신여김을 이르는 말.

예 그는 사업에서 성공한 뒤로 **안하무인**하게 행동했다.

어휘 쏙 **방자하다** 조심스러워하는 태도가 없이 무례하고 건방지다.

오만불손
傲 거만할 오 | 慢 게으를 만 | 不 아닐 불 | 遜 겸손할 손

태도나 행동이 거만하고 공손하지 못함.

예 친구의 **오만불손**한 태도에 사람들이 화가 났다.

후안무치
厚 두터울 후 | 顔 얼굴 안 | 無 없을 무 | 恥 부끄러워할 치

뻔뻔스러워 부끄러움이 없음.

예 자신이 저지른 잘못에도 **후안무치**하여 죄책감이 없었다.

확인학습

1-3 다음 한자 성어와 그 뜻풀이를 바르게 선으로 이으세요.

1 가렴주구 •

2 오만불손 •

3 후안무치 •

• ㉠ 뻔뻔스러워 부끄러움이 없음.

• ㉡ 태도나 행동이 거만하고 공손하지 못함.

• ㉢ 세금을 가혹하게 거두어들이고, 무리하게 재물을 빼앗음.

4-5 다음 한자 성어의 뜻풀이에 알맞은 말을 골라 ○표를 하세요.

4 안하무인 방자하고 (교만하여, 겸손하여) 다른 사람을 업신여김을 이르는 말.

5 토사구팽 필요할 때는 쓰고 필요 없을 때는 야박하게 (잡는, 버리는) 경우를 이르는 말.

6-8 빈칸에 들어갈 알맞은 한자 성어를 보기 에서 찾아 쓰세요.

보기
가렴주구   감탄고토   방약무인   토사구팽

6 그는 돈을 많이 벌더니 (   )하여 윗사람에게도 함부로 대했다.

7 개업을 위해 함께 노력하다가 막상 일을 시작하니 (   ) 당했다.

8 그는 아첨하는 말만 듣고, 쓴 소리는 모른 척하는 (   )의 행태를 보였다.

9 다음 밑줄 친 상황을 표현하기에 알맞은 한자 성어는 무엇인가요?

> 그는 일 욕심이 많아 가족들을 모두 버리고 혼자 성공하여 높은 자리에 올랐다. 병이 든 부모가 찾아왔지만 자신은 부모가 없다며 <u>자신의 잘못이나 부끄러움을 모르고 뻔뻔스럽게 행동하였다.</u>

① 가렴주구   ② 감탄고토   ③ 오만불손   ④ 토사구팽   ⑤ 후안무치

 걸린 시간   분   맞은 개수   개

🐙 교과 어휘 – 한자어

국어

전파
傳 전할 전 | 播 뿌릴 파

전하여 널리 퍼뜨림.

예 선진 문물의 **전파**로 각지가 발전하였다.

> 유의어 보급 널리 펴서 많은 사람들에게 골고루 미치게 하여 누리게 함.

국어

절정
絕 끊을 절 | 頂 정수리 정

사물의 진행이나 발전이 최고의 경지에 달한 상태.

예 인기가 **절정**에 오르는 기쁨을 맛보았다.

> 어휘 쏙 경지 몸이나 마음, 기술 등이 어떤 단계에 도달해 있는 상태.

국어

정전
停 머무를 정 | 電 번개 전

오던 전기가 끊어짐.

예 **정전**이 되자 도시가 깜깜해졌다.

사회

정착
定 정할 정 | 着 붙을 착

일정한 곳에 자리를 잡아 붙박이로 있거나 머물러 삶.

예 이제 **정착** 생활을 접고 떠나기로 했다.

> 반의어 방랑 정한 곳 없이 이리저리 떠돌아다님.

사회

제정
制 억제할 제 | 定 정할 정

제도나 법률 등을 만들어서 정함.

예 법률의 **제정**은 국민의 합의로 이루어진다.

> 유의어 설정 새로 만들어 정해 둠.

과학

조성
造 지을 조 | 成 이룰 성

① 무엇을 만들어서 이룸.

예 주민들은 마을 회관 **조성**을 추진하였다.

② 분위기나 정세 등을 만듦.

예 독서 분위기 **조성**에 모두 힘을 모았다.

> 어휘 쏙 정세 일이 되어 가는 형편.

사회

주권
主 주인 주 | 權 권세 권

국가의 의사를 최종적으로 결정하는 권력.

예 독립군들은 나라의 **주권**을 되찾기 위해 투쟁하였다.

> 유의어 국권 국가가 행사하는 권력.
> 어휘 쏙 의사 무엇을 하고자 하는 생각.

사회

준수
遵 좇을 준 | 守 지킬 수

규칙, 명령 등을 그대로 좇아서 지킴.

예 학교 안에서 교칙 **준수**는 필수 사항이다.

확인학습

1-3 다음 낱말과 그 뜻풀이를 바르게 선으로 이으세요.

1 절정 •　　　　　　　• ㉠ 오던 전기가 끊어짐.

2 정전 •　　　　　　　• ㉡ 규칙, 명령 등을 그대로 좇아서 지킴.

3 준수 •　　　　　　　• ㉢ 사물의 진행이나 발전이 최고의 경지에 달한 상태.

4-6 다음 낱말의 뜻풀이에 알맞은 말을 골라 ○표를 하세요.

4 전파　전하여 널리 (보임, 퍼뜨림).

5 제정　제도나 (법률, 회사) 등을 만들어서 정함.

6 주권　국가의 의사를 최종적으로 결정하는 (권력, 집단).

7-8 빈칸에 들어갈 알맞은 낱말을 보기 에서 찾아 쓰세요.

> 보기　　　　　　　정전　　정착　　조성

7 회사에서는 산업 단지 (　　　　)을 추진하였다.

8 우리 가족은 제주도에 (　　　　)해서 살기로 결정했다.

9-10 다음 밑줄 친 낱말과 바꾸어 쓸 수 있는 낱말을 보기 에서 찾아 쓰세요.

> 보기　　　　　　　절정　　제정　　주권

9 <u>국권</u>을 지키는 것이 국민의 안정을 위한 길이다.　　　　　　(　　　　)

10 우리 시에서는 야간 통행금지 구역 <u>설정</u>에 동의하였다.　　　　(　　　　)

걸린 시간　　　　분　　　맞은 개수　　　　개

공부한 날 ◯ 월 ◯ 일

교과 어휘 - 다의어

얻다

① 거저 주는 것을 받아 가지다.

예 나는 친구에게서 연필을 하나 **얻었다**.

② 긍정적인 태도 · 반응 · 상태 등을 가지거나 누리게 되다.

예 그는 나의 말에 용기를 **얻어** 다시 도전했다.

③ 돈을 빌리다.

예 경제 상황이 어려워져서 은행에서 빚을 **얻었다**.

오르다

① 사람이나 동물이 아래에서 위쪽으로 움직여 가다.

예 다함께 산에 **오르니** 마음이 뿌듯했다.

② 지위나 신분 등을 얻게 되다.

예 그는 관직에 **올라서** 출세하게 되었다.

③ 길을 떠나다.

예 고향으로 가는 길에 **오르니** 감회가 새로웠다.

교과 어휘 - 동음이의어

연장¹

어떠한 일을 하는 데에 사용하는 도구.

예 탁자를 고치는 데 필요한 **연장**을 빌렸다.

연장²
延 끌 연 | 長 길 장

시간이나 거리 등을 본래보다 길게 늘림.

예 업무가 많아서 **연장** 근무를 하였다.

인상¹
人 사람 인 | 相 서로 상

사람 얼굴의 생김새.

예 그녀는 **인상**을 찌푸리고 앉아 있었다.

인상²
引 끌 인 | 上 위 상

물건값, 봉급, 요금 등을 올림.

예 우리는 회사에 월급 **인상**을 요구했다.

1-2 밑줄 친 낱말의 뜻으로 알맞은 것의 기호를 쓰세요.

1 나는 회사에서 신뢰를 <u>얻어</u> 빠르게 승진하였다. ( )
　㉠ 거저 주는 것을 받아 가지다.
　㉡ 긍정적인 태도·반응·상태 등을 가지거나 누리게 되다.

2 우리 동네의 지하철 노선 <u>연장</u>으로 출퇴근이 편리해졌다. ( )
　㉠ 어떠한 일을 하는 데에 사용하는 도구.
　㉡ 시간이나 거리 등을 본래보다 길게 늘림.

3-5 다음 밑줄 친 낱말의 뜻풀이를 찾아 바르게 선으로 이으세요.

3 계단을 <u>오르기</u> 힘들었다. •　　　　　• ㉠ 길을 떠나다.

4 그는 장관의 자리에 <u>올랐다</u>. •　　　　　• ㉡ 지위나 신분 등을 얻게 되다.

5 나는 친구와 여행길에 <u>올랐다</u>. •　　　　　• ㉢ 사람이나 동물이 아래에서 위쪽으로 움직여 가다.

6-7 빈칸에 들어갈 알맞은 낱말을 **보기**에서 찾아 쓰세요.

보기　　　　얻게　　연장　　오르게　　인상

6 목수는 자신의 ( )을 챙겨서 일을 시작했다.

7 어려운 살림에 쪼들리다 보니 빚까지 ( ) 되었다.

8-9 다음 뜻풀이에 알맞은 낱말을 **보기**에서 찾아 기호를 쓰세요.

보기 은우: 이번에 전기 요금이 또 ㉠<u>인상</u>되었대.
　　　정연: 공과금이 계속 오르니 사람들 ㉡<u>인상</u>이 펴질 날이 있겠어?

8 사람 얼굴의 생김새. ( )

9 물건값, 봉급, 요금 등을 올림. ( )

걸린 시간　　　　분　　　　맞은 개수　　　　개

심화 어휘 - 주제별 속담

★ 각박한 세상

굴러온 돌이 박힌 돌 뺀다

들어온 지 얼마 안 되는 사람이 오래전부터 있던 사람을 내쫓거나 해치려 함을 이르는 말.

예 새로 들어온 회원 때문에 오래 있었던 회원이 그만두다니, 굴러 온 돌이 박힌 돌 빼는 격이지.

눈 감으면 코 베어 갈 세상

눈을 멀쩡히 뜨고 있어도 코를 베어 갈 만큼 세상인심이 고약하다는 말.

예 매일 보는 사이인데 사기를 치다니, 눈 감으면 코 베어 갈 세상이야.

믿는 도끼에 발등 찍힌다

믿고 있던 사람이 배반하여 오히려 해를 입음을 이르는 말.

예 믿는 도끼에 발등 찍힌다고, 아꼈던 동생이 나에게 거짓말을 하고 배신할 줄은 몰랐다.

심화 어휘 - 주제별 관용어

★ 머리와 관련된 관용어

머리를 식히다

흥분되거나 긴장된 마음을 가라앉히다.

예 일을 좀 정리할 겸, 어디 멀리 가서 머리를 식히고 와야겠다.

머리를 쓰다

어떤 일에 대하여 깊게 생각하거나 이리저리 따져 생각하다.

예 우리는 머리를 써서 이번 일을 해결할 계획을 짰다.

머리에 맴돌다

분명하지 않은 생각이 계속 떠오르다.

예 그분의 이야기가 머리에 맴돌았다.

머리에 쥐가 나다

싫고 두려운 상황에서 의욕이 없어지다.

예 이제는 영어 책만 봐도 머리에 쥐가 날 지경이다.

어휘쏙 의욕 무엇을 하고자 하는 적극적인 마음이나 욕망.

확인학습

▼정답 32쪽

1-3 다음 관용어와 그 뜻풀이를 바르게 선으로 이으세요.

1 머리를 식히다 •   • ㉠ 분명하지 않은 생각이 계속 떠오르다.

2 머리를 쓰다 •   • ㉡ 흥분되거나 긴장된 마음을 가라앉히다.

3 머리에 맴돌다 •   • ㉢ 어떤 일에 대하여 깊게 생각하거나 이리저리 따져 생각하다.

4-5 다음 뜻풀이에 알맞은 속담을 보기 에서 찾아 기호를 쓰세요.

> **보기** ㉠ 믿는 도끼에 발등 찍힌다
> ㉡ 굴러온 돌이 박힌 돌 뺀다
> ㉢ 눈 감으면 코 베어 갈 세상

4 믿고 있던 사람이 배반하여 오히려 해를 입음을 이르는 말.   (   )

5 들어온 지 얼마 안 되는 사람이 오래전부터 있던 사람을 내쫓거나 해치려   (   )
함을 이르는 말.

6-7 빈칸에 들어갈 알맞은 낱말을 보기 에서 찾아 쓰세요.

> **보기**   귀   도끼   바위   코

6 요새는 사람들 인심이 각박해져서 눈 감으면 (   ) 베어 갈 세상이 되었다.

7 믿는 (   )에 발등 찍힌다고 하더니, 가장 친한 친구가 몰래 내 흉을 볼 줄 몰랐다.

8 다음 상황에 알맞은 관용어를 골라 ○표를 하세요.

> 같은 문제로 일주일 동안 고민을 했더니 머리에 (맴도는, 쥐가 나는) 것 같았다. 생각
> 을 그만하고 며칠 동안 머리를 (쓰고, 식히고) 나서 다시 방법을 찾아보아야겠다.

걸린 시간 ⬭ 분   맞은 개수 ⬭ 개

19회

교과 어휘 - 한자어

중화
中 가운데 중 | 和 화목할 화
서로 다른 성질을 가진 것이 섞여 각각의 성질을 잃거나 그 중간의 성질을 띠게 함. 또는 그런 상태.
예 매운 것을 먹고 우유를 마시면 매운 맛이 **중화**가 된다.

지불
支 지탱할 지 | 拂 떨칠 불
돈을 내어 줌. 또는 값을 치름.
예 회사에서 임금 **지불**을 늦추고 있다.

유의어 ▶ 지출 어떤 목적을 위하여 돈을 지급하는 일.

지속
持 가질 지 | 續 이을 속
어떤 상태가 오래 계속됨.
예 약효의 **지속** 시간이 얼마 남지 않았다.
유의어 ▶ 유지 어떤 상태나 상황을 그대로 보존하거나 변함없이 계속하여 지탱함.
반의어 ▶ 중단 중도에서 끊어지거나 끊음.

지원
支 지탱할 지 | 援 도울 원
지지하여 도움.
예 국가에서는 기업에 다양한 **지원**을 한다.

유의어 ▶ 뒷바라지 뒤에서 보살피며 도와주는 일.

지형
地 땅 지 | 形 형상 형
땅의 생긴 모양이나 형세.
예 산의 **지형**이 험해서 조심히 올라갔다.

유의어 ▶ 지리 어떤 곳의 지형이나 길의 형편.

진전
進 나아갈 진 | 展 펼 전
일이 진행되어 발전함.
예 어제부터 계속된 협상에 **진전**이 있었다.
유의어 ▶ 발전 더 낫고 좋은 상태나 더 높은 단계로 나아감.

징조
徵 부를 징 | 兆 조 조
어떤 일이 생길 기미.
예 까마귀는 불길한 **징조**로 여겨졌다.

유의어 ▶ 전조 어떤 일이 생길 기미.
어휘 쏙 기미 어떤 일을 알아차릴 수 있는 눈치.

창의성
創 비롯할 창 | 意 뜻 의 | 性 성품 성
새로운 것을 생각해 내는 특성.
예 **창의성**을 발휘하여 작품을 만들었다.

▼ 정답 32쪽

1-3 다음 낱말과 그 뜻풀이를 바르게 선으로 이으세요.

1   지불   •   • ㉠ 지지하여 도움.

2   지원   •   • ㉡ 일이 진행되어 발전함.

3   진전   •   • ㉢ 돈을 내어 줌. 또는 값을 치름.

4-6 다음 낱말의 뜻풀이에 알맞은 말을 골라 ○표를 하세요.

4   징조   어떤 일이 (없어질, 생길) 기미.

5   지속   어떤 상태가 (잠시, 오래) 계속됨.

6   창의성   (새로운, 익숙한) 것을 생각해 내는 특성.

7-9 빈칸에 들어갈 알맞은 낱말을 **보기** 에서 찾아 쓰세요.

> **보기**
>
> 중화   지형   진전   징조

7   몇 년 전부터 전쟁이 발생할 (   )이/가 있었다.

8   이곳은 비바람에 땅이 깎여서 (   )이/가 특이했다.

9   두 민족은 가까운 지역에 살면서 서로 문화가 (   )되었다.

10 다음 중 짝 지어진 낱말의 관계가 나머지와 <u>다른</u> 것은 무엇인가요?

① 지불 – 지출   ② 지속 – 중단   ③ 지형 – 지리
④ 진전 – 발전   ⑤ 징조 – 전조

 걸린 시간   분   맞은 개수   개

교과 어휘 – 고유어

자근대다

① 조금 성가실 정도로 은근히 자꾸 귀찮게 굴다.

예 친구가 아침부터 나에게 **자근대며** 귀찮게 했다.

② 가볍게 자꾸 누르거나 밟다.

예 할 말이 없어서 괜히 발로 마룻바닥을 **자근대었다.**

어휘쏙 성가시다 자꾸 들볶거나 번거롭게 굴어 괴롭고 귀찮다.

자욱하다

연기나 안개 등이 잔뜩 끼어 흐릿하다.

예 온천은 수증기로 **자욱했다.**

유의어 흐릿하다 조금 흐린 듯하다.

자투리

어떤 기준에 미치지 못할 정도로 작거나 적은 조각.

예 **자투리** 시간을 활용하면 많은 일을 할 수 있다.

유의어 나머지 어떤 한도에 차고 남은 부분.

잰걸음

보폭이 짧고 빠른 걸음.

예 우리는 **잰걸음으로** 친구를 따라갔다.

조마조마하다

닥쳐올 일에 대하여 염려가 되어 마음이 불안하다.

예 실수를 들킬까 봐 하루 종일 **조마조마했다.**

유의어 불안하다 마음이 편하지 아니하다.

조아리다

상대편에게 존경의 뜻을 보이거나 애원
하느라고 머리를 자꾸 숙이다.

예 나는 죄송한 마음으로 고개를 **조아렸다.**

쥐어짜다

① 억지로 쥐어서 비틀거나 눌러 액체 등을 꼭 짜내다.

예 나는 빨래를 열심히 **쥐어짰다.**

② 눈물을 찔끔찔끔 흘리다.

예 그는 동정을 얻으려고 억지로 눈물을 **쥐어짰다.**

유의어 짜내다 액체나 물질 등이 들어 있는 물건을 누르거나 비틀어서 내용물이 밖으로 나오게 하다.

진창

땅이 질어서 질퍽질퍽하게 된 곳.

예 차가 **진창에** 빠져서 나오지를 않았다.

유의어 수렁 진흙과 개흙이 물과 섞여 많이 괸 웅덩이.

1-3 다음 뜻풀이에 알맞은 낱말을 보기 에서 찾아 쓰세요.

> **보기**
> 자근대다　　자욱하다　　조아리다　　쥐어짜다

1 연기나 안개 등이 잔뜩 끼어 흐릿하다.　　　　　　　　　　(　　　　)

2 조금 성가실 정도로 은근히 자꾸 귀찮게 굴다.　　　　　　(　　　　)

3 상대편에게 존경의 뜻을 보이거나 애원하느라고 머리를 자꾸 숙이다. (　　　　)

4-6 다음 밑줄 친 낱말과 바꾸어 쓸 수 있는 낱말을 찾아 바르게 선으로 이으세요.

4 안개로 자욱한 호수의 경치를 감상했다. ・　　　　　　・ ㉠ 불안한

5 억지로 눈물을 쥐어짜는 모습이 우스웠다. ・　　　　　　・ ㉡ 짜내는

6 그가 잘못될까 봐 조마조마한 심정이었다. ・　　　　　　・ ㉢ 흐릿한

7-9 다음 낱말이 들어갈 문장을 찾아 바르게 선으로 이으세요.

7 자투리 ・　　　・ ㉠ 그는 바쁜지 (　　　)(으)로 걸었다.

8 잰걸음 ・　　　・ ㉡ 나는 (　　　)에 굴러서 옷을 다 버렸다.

9 진창 ・　　　・ ㉢ (　　　) 종이를 모아서 메모지로 재활용하였다.

10 보기 의 밑줄 친 낱말의 뜻풀이로 알맞은 것의 기호를 쓰세요.

> **보기**
> 아무리 손수건을 쥐어짜도 땀 한 방울 나오지 않았다.

㉠ 눈물을 찔금찔금 흘리다.
㉡ 억지로 쥐어서 비틀거나 눌러 액체 등을 꼭 짜내다.

걸린 시간 　　　 분　　　맞은 개수 　　　 개

심화 어휘 - 헷갈리기 쉬운 낱말

적용
適 갈 적 | 用 쓸 용

알맞게 이용하거나 맞추어 씀.
예 이번에는 같은 방법의 **적용**이 어려웠다.

적응
適 갈 적 | 應 응할 응

일정한 조건이나 환경에 맞추어 응하거나 알맞게 됨.
예 나는 새로운 환경에 **적응**을 잘했다.

젖히다

뒤로 기울게 하다.
예 의자를 뒤로 **젖히고** 편하게 앉았다.

제치다

경쟁 상대보다 우위에 서다.
예 나는 상대 선수를 모두 **제치고** 1위로 들어왔다.
어휘쏙 우위 남보다 나은 위치나 수준.

주리다

제대로 먹지 못하여 배를 곯다.
예 며칠 동안 **주린** 배를 잡고 밖으로 나갔다.

줄이다

수나 분량을 본디보다 적게 하거나 무게를 덜 나가게 하다.
예 체중을 **줄여서** 몸이 가벼워졌다.

지양
止 그칠 지 | 揚 오를 양

더 높은 단계로 오르기 위하여 어떠한 것을 하지 아니함.
예 남의 잘못만을 탓하는 자세는 **지양**해야 한다.

지향
志 뜻 지 | 向 향할 향

어떤 목표로 뜻이 쏠리어 향함.
예 우리는 평화 통일을 **지향**하였다.

확인 학습

▶정답 32쪽

1-3 다음 낱말과 그 뜻풀이를 바르게 선으로 이으세요.

1 적용 •

2 지양 •

3 지향 •

• ㉠ 어떤 목표로 뜻이 쏠리어 향함.

• ㉡ 알맞게 이용하거나 맞추어 씀.

• ㉢ 더 높은 단계로 오르기 위하여 어떠한 것을 하지 아니함.

4-6 빈칸에 들어갈 알맞은 낱말을 보기 에서 찾아 쓰세요.

보기   젖히고   제치고   주리는   줄이는

4 나는 앞사람을 (   ) 먼저 가게로 들어갔다.

5 아직도 끼니를 굶고 배를 (   ) 아이들이 있다.

6 군인들은 나뭇가지들을 잡아 뒤로 (   ) 앞으로 나아갔다.

7-8 다음 문장에 알맞은 낱말을 골라 ○표를 하세요.

7 우리 가족은 동물 보호를 위해 채식을 (지양, 지향)했다.

8 나는 전학을 간 학교에서 (적용, 적응)에 어려움을 겪었다.

9-10 다음 글에서 잘못된 부분을 찾아 바르게 고쳐 쓰세요.

선우는 방에 쌓인 짐들을 주리려고 방 청소를 시작했지만 지쳐서 누워 버렸다. 그러자 언니가 "한번 시작한 일을 도중에 그만두는 태도는 지향하는 것이 좋아."라고 말했다.

9 (   ) ➡ (   )

10 (   ) ➡ (   )

걸린 시간   분   맞은 개수   개

 **교과 어휘** - 한자어

사회

채택
採 캘 채 | 擇 가릴 택

작품, 의견, 제도 등을 골라서 다루거나 뽑아 씀.
예 회의에서 새로운 의견은 **채택**이 어려웠다.

▶유의어▶ 선택 여럿 가운데서 필요한 것을 골라 뽑음.

과학

천체
天 하늘 천 | 體 몸 체

우주에 존재하는 모든 물체.
예 연구소의 망원경으로 **천체**를 관측하였다.

국어

청아하다
淸 맑을 청 | 雅 아담할 아

속된 티가 없이 맑고 아름답다.
예 그녀의 **청아한** 목소리에 가슴이 떨렸다.

▶유의어▶ 고결하다 성품이 고상하고 순결하다.

과학

청정
淸 맑을 청 | 淨 깨끗할 정

맑고 깨끗함.
예 이곳은 오염되지 않은 **청정** 해역이다.

국어

촉구
促 재촉할 촉 | 求 구할 구

급하게 재촉하여 요구함.
예 우리는 사태를 해결할 방안의 **촉구**를 원했다.

▶유의어▶ 재촉 어떤 일을 빨리 하도록 조름.

사회

추진
推 옮길 추 | 進 나아갈 진

① 물체를 밀어 앞으로 내보냄.
예 우주선에는 **추진** 장치가 장착된다.
② 목표를 향하여 밀고 나아감.
예 그와 나는 업무 **추진** 방향이 달랐다.

▶유의어▶ 진행 앞으로 향하여 나아감.

과학

측정
測 잴 측 | 定 정할 정

일정한 양을 기준으로 하여 같은 종류의 다른 양의 크기를 잼.
예 병원에서 혈압 **측정**을 했다.

▶유의어▶ 계측 시간이나 물건의 양 등을 헤아리거나 잼.

국어

치밀하다
緻 빽빽할 치 | 密 빽빽할 밀

자세하고 꼼꼼하다.
예 그는 **치밀한** 계획을 세워 접근했다.

▶유의어▶ 상세하다 낱낱이 자세하다.

확인 학습

1-3 다음 낱말과 그 뜻풀이를 바르게 선으로 이으세요.

1 채택 •
2 천체 •
3 촉구 •

• ㉠ 급하게 재촉하여 요구함.
• ㉡ 우주에 존재하는 모든 물체.
• ㉢ 작품, 의견, 제도 등을 골라서 다루거나 뽑아 씀.

4-6 다음 낱말의 뜻풀이에 알맞은 말을 골라 ○표를 하세요.

4 치밀하다   (자세, 엉성)하고 꼼꼼하다.

5 추진   물체를 밀어 (뒤로, 앞으로) 내보냄.

6 청아하다   속된 티가 없이 (크고, 맑고) 아름답다.

7-8 빈칸에 들어갈 알맞은 낱말을 보기 에서 찾아 쓰세요.

보기   청정   추진   측정

7 책상의 길이를 정확히 (   )하기가 어려웠다.

8 여행을 오니 매일 (   )한 날씨에 기분이 상쾌하다.

9-10 다음 밑줄 친 낱말과 바꾸어 쓸 수 있는 낱말을 보기 에서 찾아 쓰세요.

보기   채택   추진   치밀

9 우리는 전문가에게 이번 사업 진행을 맡겼다.   (   )

10 이 책을 선택한 이유는 학생들에게 도움이 되는 책이기 때문이다.   (   )

걸린 시간   분   맞은 개수   개

공부한 날 ◯ 월 ◯ 일

교과 어휘 - 고유어

쩔쩔매다 [국어]
어찌할 줄 몰라서 정신을 못 차리고 헤매다.
예 나는 자꾸 계산이 틀려서 쩔쩔맸다.

유의어 ▶ 허둥대다 어찌할 줄을 몰라 갈팡질팡하며 다급하게 서두르다.

철렁하다 [국어]
① 많은 물이 큰 물결을 이루며 넘칠 듯 흔들리는 소리가 나다.
예 항아리 안에서 물이 철렁하는 소리가 났다.
② 어떤 일에 크게 놀라 가슴이 내려앉다.
예 그가 온다는 소식에 나는 가슴이 철렁했다.

유의어 ▶ 출렁하다 물이 큰 물결을 이루며 한 번 흔들리다.

추스르다 [국어]
① 몸을 가누어 움직이다.
예 어머니는 아픈 몸을 추슬러 자리에서 일어나셨다.
② 일이나 생각 등을 수습하여 처리하다.
예 그는 서운한 마음을 추스르고 집으로 향했다.

유의어 ▶ 가다듬다 정신, 생각, 마음 등을 바로 차리거나 다잡다.

치닫다 [사회]
힘차고 빠르게 나아가다.
예 이번 사태는 최악으로 치닫고 말았다.

치대다 [과학]
빨래, 반죽 등을 무엇에 대고 자꾸 문지르다.
예 밀가루 반죽을 치대어 수제비를 만들었다.

큰코다치다 [국어]
크게 봉변을 당하거나 무안을 당하다.
예 그렇게 나대다가는 큰코다칠 것이다.

유의어 ▶ 욕보다 부끄러운 일을 당하다.
어휘쏙 봉변 뜻밖의 변이나 망신스러운 일을 당함.

터무니없다 [국어]
허황하여 전혀 근거가 없다.
예 그는 터무니없는 말로 나를 속이려 하였다.

유의어 ▶ 허황하다 헛되고 황당하며 미덥지 못하다.

텁수룩하다 [국어]
수염이나 머리털이 어수선하거나 더부룩하다.
예 수염을 깎지 않아서 텁수룩해졌다.

어휘쏙 어수선하다 사물이 얽히고 뒤섞여 마구 헝클어져 있다.

확인학습

1-3 다음 뜻풀이에 알맞은 낱말을 **보기** 에서 찾아 쓰세요.

> **보기**   쩔쩔매다   치닫다   치대다   터무니없다

1 힘차고 빠르게 나아가다.   (   )

2 허황하여 전혀 근거가 없다.   (   )

3 빨래, 반죽 등을 무엇에 대고 자꾸 문지르다.   (   )

4-6 다음 밑줄 친 낱말과 바꾸어 쓸 수 있는 낱말을 찾아 바르게 선으로 이으세요.

4 그는 생각을 좀 <u>추스르고</u> 나서 말했다.   •   • ㉠ 가다듬고

5 동생은 신발을 못 찾아서 <u>쩔쩔매고</u> 있었다. •   • ㉡ 욕보고

6 그는 나를 우습게 봤다가 <u>큰코다치고</u> 말았다. •   • ㉢ 허둥대고

7-9 다음 낱말이 들어갈 문장을 찾아 바르게 선으로 이으세요.

7 철렁한   •   • ㉠ 그는 (   ) 머리를 하고 돌아왔다.

8 터무니없는 •   • ㉡ 우리는 정말 (   ) 가격을 듣고 놀랐다.

9 텁수룩한   •   • ㉢ 그는 비밀을 들켜 가슴이 (   ) 표정이었다.

10 **보기** 의 밑줄 친 낱말의 뜻으로 알맞은 것의 기호를 쓰세요.

> **보기**   나는 처진 어깨를 <u>추스르고</u> 다시 힘을 내어 길을 나섰다.

㉠ 몸을 가누어 움직이다.
㉡ 일이나 생각 등을 수습하여 처리하다.

걸린 시간   분   맞은 개수   개

심화 어휘 – 주제별 한자 성어

★ 협동과 화합

고장난명
孤 외로울 고 | 掌 손바닥 장 | 難 어려울 난 | 鳴 울 명

혼자의 힘만으로 어떤 일을 이루기 어려움을 이르는 말.
예 나와 의견이 같은 사람이 없어 실로 **고장난명**이라, 어려움을 겪었다.

동고동락
同 같을 동 | 苦 괴로울 고 | 同 같을 동 | 樂 즐거울 락

괴로움도 즐거움도 함께함.
예 나와 내 친구는 어려서부터 **동고동락**한 친한 사이이다.

순망치한
脣 입술 순 | 亡 망할 망 | 齒 이 치 | 寒 찰 한

입술이 없으면 이가 시리다는 뜻으로, 어느 한쪽이 망하면 다른 한쪽도 그 영향을 받아 온전하기 어려움을 이르는 말.
예 옆 가게가 문을 닫으니 우리 가게도 손님이 줄어서 **순망치한**인 상황이다.

십시일반
十 열 십 | 匙 숟가락 시 | 一 하나 일 | 飯 밥 반

여러 사람이 조금씩 힘을 합하면 한 사람을 돕기 쉬움을 이르는 말.
예 우리는 **십시일반**으로 돈을 걷어 어려운 친구를 도왔다.

오월동주
吳 나라 이름 오 | 越 넘을 월 | 同 같을 동 | 舟 배 주

서로 적의를 품은 사람들이 한자리에 있게 된 경우나 서로 협력하여야 하는 상황을 이르는 말.
예 어제의 적이 오늘의 아군이 된 **오월동주**와도 같은 상황이었다.

★ 큰 차이가 나지 않음

대동소이
大 큰 대 | 同 같을 동 | 小 작을 소 | 異 다를 이

큰 차이 없이 거의 같음.
예 그들과 우리의 의견이 **대동소이**하여 의견이 빨리 결정되었다.

오십보백보
五 다섯 오 | 十 열 십 | 步 걸음 보 | 百 일백 백 | 步 걸음 보

조금 낮고 못한 정도의 차이는 있으나 본질적으로는 차이가 없음을 이르는 말.
예 우리 반이나 옆 반이나 성적이 **오십보백보**이다.

확인학습

1-3 다음 한자 성어와 그 뜻풀이를 바르게 선으로 이으세요.

1 고장난명 •   • ㉠ 큰 차이 없이 거의 같음.

2 대동소이 •   • ㉡ 괴로움도 즐거움도 함께함.

3 동고동락 •   • ㉢ 혼자의 힘만으로 어떤 일을 이루기 어려움을 이르는 말.

4-5 다음 한자 성어의 뜻풀이에 알맞은 말을 골라 ○표를 하세요.

4 십시일반   여러 사람이 조금씩 (법, 힘)을 합하면 한 사람을 돕기 쉬움을 이르는 말.

5 오십보백보   조금 낮고 못한 정도의 (실수, 차이)는 있으나 본질적으로는 차이가 없음을 이르는 말.

6-8 빈칸에 들어갈 알맞은 한자 성어를 보기 에서 찾아 쓰세요.

보기   대동소이   동고동락   순망치한   십시일반

6 우리는 어려운 시절부터 (   )하며 우정을 쌓았다.

7 이번 사건은 지난번 사건과 (   )해서 해결 방법이 비슷하다.

8 태풍 때문에 이웃 국가가 해를 입자, 우리도 (   )이 될까 걱정되었다.

9 다음 상황을 표현하기에 알맞은 한자 성어는 무엇인가요?

> 나는 작년에 학교 대표 선수를 선발하는 탁구 대회에서 옆 반의 현수와 치열하게 경쟁을 하느라 사이가 좋지 않았다. 하지만 올해에는 둘이 같은 팀이 되어 합심하여 전국 대회에 출전하게 되었다.

① 고장난명   ② 동고동락   ③ 십시일반   ④ 오월동주   ⑤ 오십보백보

걸린 시간   분   맞은 개수   개

교과 어휘 - 한자어

사회
탁본
拓 박을 탁 | 本 근본 본

비석, 기와 등에 새겨진 글씨나 무늬를 종이에 그대로 떠냄.

예 우리는 비석에 먹을 묻혀 **탁본**을 떴다.

▶유의어 탑본 비석, 기와, 기물 등에 새겨진 글씨나 무늬를 종이에 그대로 떠냄.

국어
탐색
探 찾을 탐 | 索 찾을 색

드러나지 않은 사물이나 현상 등을 찾아내거나 밝히기 위하여 살피어 찾음.

예 연구진은 이 일대의 화석 **탐색**에 나섰다.

▶유의어 수색 구석구석 뒤지어 찾음.

국어
태동
胎 아이 밸 태 | 動 움직일 동

① 모태 안에서의 태아의 움직임.

예 엄마는 배 안에서 움직이는 아기의 **태동**을 느꼈다.

② 어떤 일이 생기려는 기운이 싹틈.

예 우리의 계획은 아직 **태동** 단계였다.

▶어휘 쏙 모태 어미의 태 안.

국어
통계
統 거느릴 통 | 計 꾀할 계

어떤 현상을 종합적으로 일정한 체계에 따라 숫자로 나타냄.

예 연도별 출산율에 대한 **통계**를 내었다.

국어
통학
通 통할 통 | 學 배울 학

자기 집이나 유숙하는 집에서 학교까지 다님.

예 나는 **통학** 시간이 오래 걸리는 편이다.

▶어휘 쏙 유숙 남의 집에서 묵음.

사회
투쟁
鬪 싸움 투 | 爭 다툴 쟁

단체나 개인 등이 어떤 목적을 이루거나 상대편을 극복하기 위하여 힘쓰거나 싸움.

예 비정규직 차별에 반대하는 **투쟁**을 벌였다.

▶유의어 싸움 싸우는 일.

국어
특색
特 특별할 특 | 色 빛 색

보통의 것과 다른 점.

예 한복의 **특색**을 살려 새로운 옷을 만들었다.

▶유의어 특징 다른 것에 비하여 특별히 눈에 뜨이는 점.

과학
파견
派 물갈래 파 | 遣 보낼 견

일정한 임무를 주어 사람을 보냄.

예 본사 직원이 현장으로 **파견**을 나왔다.

▶유의어 출장 용무를 위하여 임시로 다른 곳으로 나감.

1-3 다음 낱말과 그 뜻풀이를 바르게 선으로 이으세요.

1 탁본 •   • ㉠ 보통의 것과 다른 점.

2 특색 •   • ㉡ 일정한 임무를 주어 사람을 보냄.

3 파견 •   • ㉢ 비석, 기와 등에 새겨진 글씨나 무늬를 종이에 그대로 떠냄.

4-6 다음 낱말의 뜻풀이에 알맞은 말을 골라 ○표를 하세요.

4 태동   모태 안에서의 태아의 (숨소리, 움직임).

5 통학   자기 집이나 유숙하는 집에서 (회사, 학교)까지 다님.

6 통계   어떤 현상을 종합적으로 일정한 (지위, 체계)에 따라 숫자로 나타냄.

7-8 빈칸에 들어갈 알맞은 낱말을 보기 에서 찾아 쓰세요.

> 보기   태동   통학   투쟁

7 그들은 독립 (   )을 위해 많은 것을 희생하였다.

8 동양에서는 근대 사회로의 움직임이 (   )하고 있었다.

9-10 다음 밑줄 친 낱말과 바꾸어 쓸 수 있는 낱말을 보기 에서 찾아 쓰세요.

> 보기   탐색   특색   파견

9 그의 작품은 시대적인 <u>특징</u>이 드러난다.   (   )

10 경찰은 실종자를 찾기 위해 이 지역을 <u>수색</u>했다.   (   )

걸린 시간   분   맞은 개수   개

교과 어휘 - 다의어

털다

① 달려 있는 것, 붙어 있는 것이 떨어지게 흔들거나 치거나 하다.
예 집 안의 이불을 다 **털고** 대청소를 했다.

② 자기가 가지고 있는 것을 남김없이 내다.
예 할머니는 주머니를 **털어** 선물을 사 주셨다.

③ 일, 감정, 병 등을 완전히 극복하거나 말끔히 정리하다.
예 과거의 일은 모두 **털어** 버리고 새로 시작하자.

통하다

① 막힘이 없이 들고 나다.
예 바람이 잘 **통하는** 곳이라 빨래가 잘 마른다.

② 어떤 곳으로 이어지다.
예 이 길은 뒷산과 바로 **통해** 있다.

③ 마음이나 말 등이 다른 사람과 소통되다.
예 나는 영희와 마음이 잘 **통해서** 항상 같이 다닌다.

교과 어휘 - 동음이의어

절감¹
切 끊을 절 | 感 느낄 감

절실히 느낌.
예 나는 내 능력이 부족하다는 것을 **절감**했다.

절감²
節 마디 절 | 減 덜 감

아끼어 줄임.
예 전기 요금 **절감**을 위해 전기를 아껴 썼다.

진화¹
進 나아갈 진 | 化 될 화

생물이 생명의 기원 이후부터 점차 변해 가는 현상.
예 인간은 오랜 **진화**를 거쳐 왔다.
어휘쏙 기원 사물이 처음으로 생김. 또는 그런 근원.

진화²
鎭 누를 진 | 火 불 화

불이 난 것을 끔.
예 소방관들이 산불 **진화**를 위해 달려왔다.

1-2 밑줄 친 낱말의 뜻으로 알맞은 것의 기호를 쓰세요.

1 나는 그와 안 좋았던 감정을 모두 <u>털었다</u>.　　　　　　　(　)
㉠ 자기가 가지고 있는 것을 남김없이 내다.
㉡ 일, 감정, 병 등을 완전히 극복하거나 말끔히 정리하다.

2 공장의 화재 <u>진화</u>를 위해 노력했지만 불길을 잡지 못했다.　(　)
㉠ 불이 난 것을 끔.
㉡ 생물이 생명의 기원 이후부터 점차 변해 가는 현상.

3-5 다음 밑줄 친 낱말의 뜻풀이를 찾아 바르게 선으로 이으세요.

3 이 문은 옆방과 <u>통한다</u>.　　•　　•㉠ 어떤 곳으로 이어지다.

4 그와 나는 마음이 잘 <u>통한다</u>.　•　　•㉡ 막힘이 없이 들고 나다.

5 손에 피가 잘 <u>통하도록</u> 주물렀다. •　　•㉢ 마음이나 말 등이 다른 사람과 소통되다.

6-7 빈칸에 들어갈 알맞은 낱말을 보기 에서 찾아 쓰세요.

보기　　　　　절감　　　진화　　　털고　　　통하고

6 과학자들은 인간의 (　　　) 과정을 연구하였다.

7 책상 위의 먼지를 (　　　) 걸레로 깨끗하게 닦았다.

8-9 다음 뜻풀이에 알맞은 낱말을 보기 에서 찾아 기호를 쓰세요.

보기　태우: 환경을 보호하기 위해서는 에너지 ㉠절감이 정말 중요해.
　　　미정: 우리 모두 환경 보호의 필요성을 ㉡절감하고 실천에 옮겨야 해.

8 절실히 느낌.　　　　　　　　　　　　　　　(　)

9 아끼어 줄임.　　　　　　　　　　　　　　　(　)

걸린 시간　　　　　분　　　맞은 개수　　　　　개

심화 어휘 - 주제별 속담

★ 노력과 끈기

공든 탑이 무너지랴	힘을 다하고 정성을 다하여 한 일은 그 결과가 헛되지 아니함을 이르는 말. 예 '공든 탑이 무너지랴'라는 말처럼, 6개월 동안 한눈 팔지 않고 공부했으니 반드시 합격할 것이다.
우물을 파도 한 우물을 파라	어떠한 일이든 한 가지 일을 끝까지 하여야 성공할 수 있다는 말. 예 우물을 파도 한 우물을 파라고 했듯이, 하나를 배웠으면 꾸준히 연습해야 실력이 는다.
흐르는 물은 썩지 않는다	사람은 언제나 공부하며 단련하여야 시대에 뒤떨어지지 아니하고 또 변질되지 아니함을 이르는 말. 예 흐르는 물은 썩지 않는다는 말처럼, 아버지는 계속 자신의 일에 대해 공부하시기 때문에 발전하시는 것 같다.

심화 어휘 - 주제별 관용어

★ 손과 관련된 관용어

손에 익다	일이 손에 익숙해지다. 예 매일 요리를 했더니 손에 익어서 속도가 빨라졌다.
손을 벌리다	무엇을 달라고 요구하거나 구걸하다. 예 그는 염치도 없이 나에게 또 손을 벌렸다.
손을 씻다	부정적인 일에서 관계를 청산하다. 예 형은 도박에서 손을 씻고 새 사람으로 살게 되었다. 어휘 쏙 청산 과거의 부정적인 요소를 깨끗이 씻어 버림.
손이 크다	씀씀이가 후하고 크다. 예 엄마는 손이 크셔서 가족들에게 항상 김치를 나누어 주신다. 어휘 쏙 씀씀이 돈이나 물건 등을 쓰는 형편.

확인학습

1-3 다음 관용어와 그 뜻풀이를 바르게 선으로 이으세요.

1 손에 익다 •   • ㉠ 일이 손에 익숙해지다.

2 손을 씻다 •   • ㉡ 씀씀이가 후하고 크다.

3 손이 크다 •   • ㉢ 부정적인 일에서 관계를 청산하다.

4-5 다음 뜻풀이에 알맞은 속담을 보기 에서 찾아 기호를 쓰세요.

> **보기** ㉠ 공든 탑이 무너지랴
> ㉡ 흐르는 물은 썩지 않는다
> ㉢ 우물을 파도 한 우물을 파라

4 어떠한 일이든 한 가지 일을 끝까지 하여야 성공할 수 있다는 말. (   )

5 힘을 다하고 정성을 다하여 한 일은 그 결과가 헛되지 아니함을 이르는 말. (   )

6-7 빈칸에 들어갈 알맞은 낱말을 보기 에서 찾아 쓰세요.

> **보기**   기둥   물   불   우물

6 '우물을 파도 한 (   )을 파라'라고 했듯이, 무슨 일을 시작했으면 끝까지 해내는 자세가 중요해.

7 '흐르는 (   )은 썩지 않는다'라는 말처럼, 자신의 자리에 만족하지 말고 항상 공부해야 자신의 능력을 키울 수 있어.

8 다음 상황에 알맞은 관용어를 골라 ○표를 하세요.

> 나는 손이 (큰, 작은) 편이라 음식을 만들고 이웃들과 나누어 먹는 편이다. 며칠 전에 갈비찜을 조금 했는데, 옆집에서 갈비찜을 나누어 달라고 손을 (씻는, 벌리는) 것이었다. 양이 적다고 했더니 서운해 하는 모습이 어이가 없었다.

걸린 시간   분   맞은 개수   개

 **교과** 어휘 - 한자어

 (사회)

편입
編 엮을 편 | 入 들 입

① 이미 짜인 한 동아리나 대열 등에 끼어 들어감.

예 그는 상류층으로의 **편입**을 위해 모든 수단을 동원했다.

② 어떤 학년에 도중에 들어가거나 다니던 학교를 그만두고 다른 학교에 들어감.

예 나는 다른 학교로 **편입**을 준비하고 있었다.

어휘쏙 대열 어떤 활동을 목적으로 모인 무리.

(국어)

평등
平 평평할 평 | 等 같을 등

권리, 의무, 자격 등이 차별 없이 고르고 한결같음.

예 기회의 **평등**이 보장되어야 한다.

반의어 차별 둘 이상의 대상을 각각 등급이나 수준 등의 차이를 두어서 구별함.

(국어)

포착
捕 사로잡을 포 | 捉 잡을 착

어떤 기회나 정세를 알아차림.

예 현재는 상대편의 정황 **포착**이 어려웠다.

어휘쏙 정세 일이 되어 가는 형편.

(사회)

폭염
暴 나타낼 폭 | 炎 불탈 염

매우 심한 더위.

예 **폭염** 때문에 병이 날 것 같다.

유의어 무더위 습도와 온도가 매우 높아 찌는 듯 견디기 어려운 더위.

(국어)

표절
剽 표독할 표 | 竊 훔칠 절

시나 글, 노래 등을 지을 때에 남의 작품의 일부를 몰래 따다 씀.

예 가요의 **표절** 금지를 위한 법안을 마련하였다.

(과학)

품종
品 물건 품 | 種 씨 종

① 물품의 종류.

예 우리가 판매하는 물건의 **품종**이 줄었다.

② 생물 분류학상, 종의 하위 단위.

예 연구소에서 병에 강한 **품종**을 개발했다.

유의어 종자 식물에서 나온 씨 또는 씨앗.

(국어)

항암
抗 막을 항 | 癌 암 암

암세포의 증식을 억제하거나 암세포를 죽임.

예 식물을 이용한 **항암** 물질을 개발하였다.

어휘쏙 증식 늘어서 많아짐. 또는 늘려서 많게 함.

(과학)

해양
海 바다 해 | 洋 큰 바다 양

넓고 큰 바다.

예 우리는 **해양** 관광을 계획하였다.

유의어 대양 세계의 해양 가운데에서 특히 넓은 해역을 차지하는 대규모의 바다.

확인학습

▼정답 33쪽

1-3 다음 낱말과 그 뜻풀이를 바르게 선으로 이으세요.

1 포착 • • ㉠ 넓고 큰 바다.

2 품종 • • ㉡ 어떤 기회나 정세를 알아차림.

3 해양 • • ㉢ 생물 분류학상, 종의 하위 단위.

4-6 다음 낱말의 뜻풀이에 알맞은 말을 골라 ○표를 하세요.

4 폭염 매우 심한 (더위, 추위).

5 항암 암세포의 증식을 (촉구, 억제)하거나 암세포를 죽임.

6 편입 이미 짜인 한 동아리나 대열 등에 끼어 (잡혀감, 들어감).

7-8 빈칸에 들어갈 알맞은 낱말을 보기 에서 찾아 쓰세요.

> 보기 평등 포착 표절

7 그 화가의 이번 작품에 대한 (   ) 조사를 시작하였다.

8 우리는 소외된 모든 사람들의 (   )을 위해 노력하였다.

9-10 다음 밑줄 친 낱말과 바꾸어 쓸 수 있는 낱말을 보기 에서 찾아 쓰세요.

> 보기 폭염 품종 해양

9 그들은 <u>대양</u>을 건너 다른 나라로 향했다. (   )

10 나는 여름 내내 <u>무더위</u> 때문에 잠을 이루지 못했다. (   )

걸린 시간   분   맞은 개수   개

교과 어휘 - 고유어

국어 ☐☐
투박하다
생김새가 볼품없이 둔하고 튼튼하기만 하다.
예 아빠는 투박한 손으로 내 손을 꽉 잡으셨다.

어휘 쏙 볼품없이 겉으로 드러나 보이는 모습이 초라하게.

국어 ☐☐
파고들다
① 깊숙이 안으로 들어가다.
예 추워서 이불 속으로 파고들었다.
② 깊이 스며들다.
예 찬바람이 뼛속까지 파고드는 날씨였다.

유의어 스며들다 속으로 배어들다.

과학 ☐☐
퍼뜨리다
널리 퍼지게 하다.
예 식물들은 씨앗을 멀리까지 퍼뜨린다.

유의어 전파하다 전하여 널리 퍼뜨리다.

국어 ☐☐
포개다
놓인 것 위에 또 놓다.
예 엄마는 그릇을 씻어서 포개어 두셨다.

국어 ☐☐
푼푼하다
모자람이 없이 넉넉하다.
예 따뜻한 국물을 마시니 마음이 푼푼하였다.
유의어 넉넉하다 마음이 넓고 여유가 있다.

국어 ☐☐
핀잔
맞대어 놓고 언짢게 꾸짖거나 비꼬아 꾸짖는 일.
예 나는 실수가 잦다며 핀잔을 들었다.

유의어 꾸중 아랫사람의 잘못을 꾸짖는 말.

국어 ☐☐
한나절
하룻낮의 반.
예 그곳까지 가는 데 한나절은 넘게 걸린다.

국어 ☐☐
한바탕
한판 크게.
예 다함께 한바탕 웃고 나니 속이 후련했다.
유의어 한차례 어떤 일이 한바탕 일어남을 나타내는 말.

확인학습

1-3 다음 뜻풀이에 알맞은 낱말을 보기 에서 찾아 쓰세요.

보기
투박하다   퍼뜨리다   포개다   푼푼하다

1 널리 퍼지게 하다. (   )

2 놓인 것 위에 또 놓다. (   )

3 생김새가 볼품없이 둔하고 튼튼하기만 하다. (   )

4-6 다음 밑줄 친 낱말과 바꾸어 쓸 수 있는 낱말을 찾아 바르게 선으로 이으세요.

4 옷깃 사이로 <u>파고드는</u> 냉기가 차가웠다.   •   • ㉠ 넉넉한

5 먹을 것이 <u>푼푼한</u> 것을 보니 마음이 놓였다.   •   • ㉡ 스며드는

6 그는 소문을 여기저기 <u>퍼뜨리는</u> 역할을 했다. •   • ㉢ 전파하는

7-9 다음 낱말이 들어갈 문장을 찾아 바르게 선으로 이으세요.

7 핀잔   •   • ㉠ (   ) 소나기가 퍼부을 날씨였다.

8 한나절   •   • ㉡ 엄마에게 (   )을 듣고 눈물이 핑 돌았다.

9 한바탕   •   • ㉢ 그림이 완성되려면 (   )은 걸린다고 했다.

10 보기 의 밑줄 친 낱말의 뜻풀이로 알맞은 것의 기호를 쓰세요.

보기
강아지가 우리가 자는 침대 안으로 <u>파고들었다</u>.

㉠ 깊이 스며들다.
㉡ 깊숙이 안으로 들어가다.

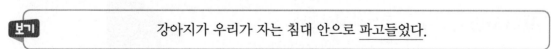

걸린 시간   분   맞은 개수   개

공부한 날 ◯월 ◯일

심화 어휘 – 헷갈리기 쉬운 낱말

초월
超 넘을 초 | 越 넘을 월

어떠한 한계나 표준을 뛰어넘음.
예 그는 모든 것을 초월한 경지를 보여 준다.

추월
追 쫓을 추 | 越 넘을 월

뒤에서 따라잡아서 앞의 것보다 먼저 나아감.
예 나는 다른 차에 추월을 당했다.

축적
蓄 쌓을 축 | 積 쌓을 적

지식, 경험, 자금 등을 모아서 쌓음. 또는 모아서 쌓은 것.
예 나는 경험 축적을 위해 다양한 직업을 가졌다.

축척
縮 오그라들 축 | 尺 자 척

지도에서의 거리와 지표에서의 실제 거리와의 비율.
예 지도는 축척이 정확해야 한다.

한참

시간이 상당히 지나는 동안.
예 버스를 한참 기다렸지만 오지 않았다.

한창

어떤 일이 가장 활기 있고 왕성하게 일어나는 때.
예 동네 산길에는 벚꽃이 한창이었다.
어휘 쏙 왕성하다 한창 성하다.

해어지다

닳아서 떨어지다.
예 야구 장갑이 다 해어져서 새로 샀다.

헤어지다

모여 있던 사람들이 따로따로 흩어지다.
예 나는 친구들과 헤어져서 집으로 왔다.

1-3 다음 낱말과 그 뜻풀이를 바르게 선으로 이으세요.

1   초월   •   • ㉠ 시간이 상당히 지나는 동안.

2   추월   •   • ㉡ 어떠한 한계나 표준을 뛰어넘음.

3   한참   •   • ㉢ 뒤에서 따라잡아서 앞의 것보다 먼저 나아감.

4-6 빈칸에 들어갈 알맞은 낱말을 [보기]에서 찾아 쓰세요.

> [보기]   초월   추월   축적   축척

4   나의 상상을 (   )한 대답에 깜짝 놀랐다.

5   그는 속도를 내더니 우리를 (   )하여 앞서 나갔다.

6   나는 그동안 (   )한 경험을 토대로 문제를 해결하였다.

7-8 다음 문장에 알맞은 낱말을 골라 ○표를 하세요.

7   친구들과 운동장에서 (해어지고, 헤어지고) 바로 학원에 갔다.

8   할머니는 우리를 보고는 (한참, 한창) 잘 먹을 때라며 밥을 가득 퍼 주셨다.

9-10 다음 글에서 잘못된 부분을 찾아 바르게 고쳐 쓰세요.

> 선생님은 지도의 축적을 보고 우리가 걸어온 실제 거리를 따져 보셨다. 한창을 생각해 보시더니, 우리가 지름길보다 많이 돌아서 온 것이라고 말씀해 주셨다.

9   (   ) ➔ (   )

10 (   ) ➔ (   )

걸린 시간 ☁ 분   맞은 개수 ☁ 개

23회

공부한 날 ◯ 월 ◯ 일

 교과 어휘 – 한자어

과학

행성
行 다닐 행 | 星 별 성

중심이 되는 별의 둘레를 궤도에 따라 돌면서, 자신은 빛을 내지 못하는 천체.
예 태양계의 행성은 태양의 주위를 돈다.

어휘 쏙 천체 우주에 존재하는 모든 물체.

사회

허가
許 허락할 허 | 可 옳을 가

행동이나 일을 하도록 허용함.
예 우리는 야간에 작업할 수 있는 허가를 받았다.

유의어 승인 어떤 사실을 마땅하다고 받아들임.

국어

허황하다
虛 빌 허 | 荒 거칠 황

헛되고 황당하며 미덥지 못하다.
예 그의 허황한 얘기에 웃음만 나왔다.

유의어 헛되다 허황하여 믿을 수가 없다.

국어

험난하다
險 험할 험 | 難 어려울 난

① 지세가 다니기에 위험하고 어렵다.
예 나는 험난한 산길을 따라 올라갔다.

② 험하여 고생스럽다.
예 그는 성공하기까지 험난한 시련을 겪었다.

어휘 쏙 지세 땅의 생긴 모양이나 형세.

사회

협약
協 도울 협 | 約 맺을 약

협상에 의하여 조약을 맺음.
예 두 회사의 협약에 의해 제품을 생산했다.

유의어 협정 행정부가 다른 나라의 정부와 약정을 맺음.

국어

호기심
好 좋을 호 | 奇 기이할 기 | 心 마음 심

새롭고 신기한 것을 좋아하거나 모르는 것을 알고 싶어 하는 마음.
예 그 아이는 호기심이 많고 총명했다.

국어

호령
號 부르짖을 호 | 令 명령할 령

① 부하나 동물 등을 지휘하여 명령함. 또는 그 명령.
예 지휘관의 호령 소리에 부하들이 일제히 움직였다.

② 큰 소리로 꾸짖음.
예 형은 아버지의 호령에 잘못했다고 빌었다.

유의어 호통 몹시 화가 나서 크게 소리 지르거나 꾸짖음. 또는 그 소리.

국어

혹평
酷 심할 혹 | 評 평할 평

가혹하게 비평함.
예 비평가들이 내 작품에 혹평을 하였다.

유의어 악평 나쁘게 평함. 또는 그런 평판이나 평가.

1-3 다음 낱말과 그 뜻풀이를 바르게 선으로 이으세요.

1 허가 ·   · ㉠ 가혹하게 비평함.

2 협약 ·   · ㉡ 협상에 의하여 조약을 맺음.

3 혹평 ·   · ㉢ 행동이나 일을 하도록 허용함.

4-6 다음 낱말의 뜻풀이에 알맞은 말을 골라 ○표를 하세요.

4 허황하다   헛되고 (부당하며, 황당하며) 미덥지 못하다.

5 험난하다   지세가 다니기에 (위험하고, 유리하고) 어렵다.

6 호령   부하나 동물 등을 (작동하여, 지휘하여) 명령함. 또는 그 명령.

7-8 빈칸에 들어갈 알맞은 낱말을 보기 에서 찾아 쓰세요.

> 보기   행성   호기심   협약

7 나는 (   )을 못 이기고 친구에게 물어보았다.

8 지구 외의 다른 (   )에도 날씨가 존재한다고 한다.

9-10 다음 밑줄 친 낱말과 바꾸어 쓸 수 있는 낱말을 보기 에서 찾아 쓰세요.

> 보기   협약   호령   혹평

9 나는 선생님께 큰 소리로 호통을 듣고 눈물이 났다.   (   )

10 우리나라는 외국과 맺은 무역 협정에 따라 수출을 하였다.   (   )

걸린 시간   분   맞은 개수   개

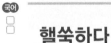

교과 어휘 - 고유어

국어 ☐☐

핼쑥하다

얼굴에 핏기가 없고 파리하다.

예) 그녀는 잠을 못 자서 **핼쑥했다**.

유의어 **파리하다** 몸이 마르고 낯빛이나 살색이 핏기가 전혀 없다.

국어 ☐☐

허둥지둥

정신을 차릴 수 없을 만큼 갈팡질팡하며 다급하게 서두르는 모양.

예) 나는 회의에 늦어서 **허둥지둥** 달려갔다.

유의어 **허겁지겁** 조급한 마음으로 몹시 허둥거리는 모양.

국어 ☐☐

허물없다

서로 매우 친하여, 체면을 돌보거나 조심할 필요가 없다.

예) 우리는 **허물없는** 농담을 하며 지냈다.

유의어 **막역하다** 허물이 없이 아주 친하다.

국어 ☐☐

헐떡대다

숨을 자꾸 가쁘고 거칠게 쉬는 소리를 자꾸 내다.

예) 그는 숨을 **헐떡대며** 뛰었다.

유의어 **씨근대다** 고르지 아니하고 거칠고 가쁘게 숨 쉬는 소리가 자꾸 나다.

사회 ☐

헛걸음

목적을 이루지 못하고 헛수고만 하고 가거나 옴. 또는 그런 걸음.

예) 그곳에 친구가 없는 것을 모르고 **헛걸음**을 했다.

국어 ☐☐

호들갑

경망스럽고 야단스러운 말이나 행동.

예) 민지는 비밀을 들켰다며 **호들갑**을 떨었다.

어휘 쏙 **경망** 행동이나 말이 가볍고 조심성이 없음.

유의어 **방정** 찬찬하지 못하고 몹시 가볍고 점잖지 못하게 하는 말이나 행동.

국어 ☐☐

흐드러지다

매우 탐스럽거나 한창 성하다.

예) 우리는 벚꽃이 **흐드러진** 길을 함께 걸었다.

유의어 **탐스럽다** 마음이 몹시 끌리도록 보기에 소담스러운 데가 있다.

국어 ☐☐

흠칫

몸을 움츠리며 갑작스럽게 놀라는 모양.

예) 그가 갑자기 나타나서 **흠칫** 놀랐다.

1-3 다음 뜻풀이에 알맞은 낱말을 [보기] 에서 찾아 쓰세요.

> **보기**
>
> 핼쑥하다   허물없다   헐떡대다   흐드러지다

1 매우 탐스럽거나 한창 성하다. ( )

2 숨을 자꾸 가쁘고 거칠게 쉬는 소리를 자꾸 내다. ( )

3 서로 매우 친하여, 체면을 돌보거나 조심할 필요가 없다. ( )

4-6 다음 밑줄 친 낱말과 바꾸어 쓸 수 있는 낱말을 찾아 바르게 선으로 이으세요.

4 그는 오랜만에 핼쑥한 얼굴로 나타났다. •

5 길가에 흐드러진 국화꽃들이 아름다웠다. •

6 그와 나는 어려서부터 허물없는 사이였다. •

• ㉠ 막역한

• ㉡ 탐스러운

• ㉢ 파리한

7-9 다음 낱말이 들어갈 문장을 찾아 바르게 선으로 이으세요.

7 허둥지둥 •

8 헛걸음 •

9 호들갑 •

• ㉠ 약속 시간에 늦어서 ( )하며 서둘렀다.

• ㉡ 그는 내가 너무 예뻐졌다면서 ( )이었다.

• ㉢ 가게 문이 닫아서 또 ( )을 할 수는 없었다.

10 [보기]의 밑줄 친 낱말의 뜻으로 알맞은 것의 기호를 쓰세요.

> **보기**
>
> 갑자기 누가 나를 부르는 것 같아서 흠칫 뒤를 돌아보았다.

㉠ 몸을 움츠리며 갑작스럽게 놀라는 모양.
㉡ 정신을 차릴 수 없을 만큼 갈팡질팡하며 다급하게 서두르는 모양.

걸린 시간   분   맞은 개수   개

심화 어휘 – 주제별 한자 성어

★ 말하는 태도

견강부회
牽 끌 견 | 強 강할 강 | 附 붙을 부 | 會 모일 회

이치에 맞지 않는 말을 억지로 끌어 붙여 자기에게 유리하게 함.
예 그는 자신의 주장에 맞게 **견강부회**하며 말했다.

언어도단
言 말씀 언 | 語 말씀 어 | 道 길 도 | 斷 끊을 단

말할 길이 끊어졌다는 뜻으로, 어이가 없어서 말하려 해도 말할 수 없음을 이르는 말.
예 청소 당번도 싫다던 그들이 학급 일을 열심히 하자는 것은 **언어도단**이었다.

중언부언
重 무거울 중 | 言 말씀 언 | 復 다시 부 | 言 말씀 언

이미 한 말을 자꾸 되풀이함. 또는 그런 말.
예 나는 당황해서 아무 말이나 **중언부언**하고 있었다.

촌철살인
寸 마디 촌 | 鐵 쇠 철 | 殺 죽일 살 | 人 사람 인

간단한 말로도 남을 감동하게 하거나 남의 약점을 찌를 수 있음을 이르는 말.
예 그 만화가는 **촌철살인**하는 시대 풍자로 유명했다.

★ 부부의 애정과 약속

금슬지락
琴 거문고 금 | 瑟 큰 거문고 슬 | 之 갈 지 | 樂 즐길 락

부부간의 사랑.
예 부모님은 평생 **금슬지락**이 좋으셔서 서로 아끼고 사랑하셨다.

백년가약
百 일백 백 | 年 해 년 | 佳 아름다울 가 | 約 맺을 약

젊은 남녀가 부부가 되어 평생을 같이 지낼 것을 굳게 다짐하는 아름다운 언약.
예 우리는 **백년가약**을 맺고 부부가 되었다.

백년해로
百 일백 백 | 年 해 년 | 偕 함께 해 | 老 늙을 로

부부가 되어 한평생을 사이좋게 지내고 즐겁게 함께 늙음.
예 그들은 결혼하여 **백년해로**하며 행복하게 살았다.

1-3 다음 한자 성어와 그 뜻풀이를 바르게 선으로 이으세요.

1 금슬지락 •

2 언어도단 •

3 중언부언 •

• ㉠ 부부간의 사랑.

• ㉡ 이미 한 말을 자꾸 되풀이함. 또는 그런 말.

• ㉢ 말할 길이 끊어졌다는 뜻으로, 어이가 없어서 말하려 해도 말할 수 없음을 이르는 말.

4-5 다음 한자 성어의 뜻풀이에 알맞은 말을 골라 ○표를 하세요.

4 백년해로 (친구, 부부)가 되어 한평생을 사이좋게 지내고 즐겁게 함께 늙음.

5 견강부회 이치에 맞지 않는 말을 억지로 끌어 붙여 (자기, 상대)에게 유리하게 함.

6-8 빈칸에 들어갈 알맞은 한자 성어를 보기 에서 찾아 쓰세요.

보기 | 금슬지락   백년가약   중언부언   촌철살인

6 그와 나는 (   )으로 결혼을 약속하였다.

7 친구는 (   )하며 계속 이야기를 늘어놓았다.

8 나는 지금 상황을 (   )하는 말로 사람들의 마음을 움직였다.

9 다음 밑줄 친 상황을 표현하기에 알맞은 한자 성어는 무엇인가요?

그는 게을러서 집에서 놀고먹으며 지냈다. 그렇게 백수로 손가락질 받던 그가 존경을 받는다니 어이가 없어서 말문이 막힐 뿐이었다.

① 견강부회   ② 백년해로   ③ 언어도단   ④ 중언부언   ⑤ 촌철살인

걸린 시간   분   맞은 개수   개

교과 어휘 – 한자어

국어

혼절
昏 어두울 혼 | 絕 끊을 절

정신이 아찔하여 까무러침.
예 아저씨는 무리하셨는지 혼절을 하셨다.

유의어 기절 두려움, 놀람, 충격 등으로 한동안 정신을 잃음.

사회

화평
和 화목할 화 | 平 평평할 평

화목하고 평온함.
예 세종이 어진 정치를 펼쳐 온 나라가 화평을 누렸다.

유의어 평화 평온하고 화목함.

국어

환기
換 바꿀 환 | 氣 기운 기

탁한 공기를 맑은 공기로 바꿈.
예 실내 환기를 위해 창문을 열었다.

과학

황사
黃 누를 황 | 沙 모래 사

중국의 가는 모래가 강한 바람으로 인해 날아올랐다가 점차 내려오는 현상.
예 요즘 황사 때문에 공기가 나빠졌다.

사회

회담
會 모일 회 | 談 말씀 담

어떤 문제를 가지고 거기에 관련된 사람들이 한자리에 모여서 토의함.
예 각국의 대표들이 회담을 열었다.

유의어 회견 일정한 절차를 거쳐서 서로 만나 의견이나 견해를 밝힘.

국어

효험
效 본받을 효 | 驗 시험 험

일의 좋은 보람. 또는 어떤 작용의 결과.
예 약의 효험이 빨리 나타나서 병이 금방 나았다.

유의어 효력 약 등을 사용한 후에 얻는 보람.

국어

훼방
毁 헐 훼 | 謗 헐뜯을 방

남의 일을 방해함.
예 민희의 훼방으로 이번 모임이 취소되었다.

유의어 간섭 직접 관계가 없는 남의 일에 부당하게 참견함.
반의어 협조 힘을 보태어 도움.

국어

흉악
凶 흉할 흉 | 惡 악할 악

성질이 악하고 모짊.
예 그가 흉악을 부려서 모두 피했다.

유의어 패악 사람으로서 마땅히 해야 할 도리에 어그러지고 흉악함.

1-3 다음 낱말과 그 뜻풀이를 바르게 선으로 이으세요.

1 환기 •   • ㉠ 남의 일을 방해함.

2 황사 •   • ㉡ 탁한 공기를 맑은 공기로 바꿈.

3 훼방 •   • ㉢ 중국의 가는 모래가 강한 바람으로 인해 날아올랐다가 점차 내려오는 현상.

4-6 다음 낱말의 뜻풀이에 알맞은 말을 골라 ○표를 하세요.

4 흉악 성질이 (부드럽고, 악하고) 모짊.

5 혼절 정신이 (아찔하여, 흐뭇하여) 까무러침.

6 효험 일의 좋은 (보람, 진행). 또는 어떤 작용의 결과.

7-8 빈칸에 들어갈 알맞은 낱말을 보기 에서 찾아 쓰세요.

보기   화평   회담   흉악

7 대통령은 무역 개방을 위한 (   )을 성사하였다.

8 국민들은 지역 간의 불화가 없이 (   )하기를 바란다.

9-10 다음 밑줄 친 낱말과 바꾸어 쓸 수 있는 낱말을 보기 에서 찾아 쓰세요.

보기   회담   효험   훼방

9 운동의 효력은 아무리 강조해도 지나치지 않다.   (   )

10 그의 간섭 때문에 회의를 더 이상 진행할 수 없었다.   (   )

걸린 시간   분   맞은 개수   개

교과 어휘 - 다의어

파다

① 구멍이나 구덩이를 만들다.

예 그는 삽으로 땅을 파기 시작했다.

② 어떤 것을 알아내거나 밝히기 위하여 몹시 노력하다.

예 나는 이번 사건의 진상을 파 보기로 했다.

흐르다

① 시간이나 세월이 지나가다.

예 세월이 이렇게 많이 흘렀는지 몰랐다.

② 액체가 낮은 곳으로 내려가거나 넘쳐서 떨어지다.

예 우리 집 앞에는 시냇물이 흐른다.

③ 기운이나 상태가 겉으로 드러나다.

예 산에는 꽃이 만발하여 봄기운이 흘렀다.

교과 어휘 - 동음이의어

파장¹

波 물결 파 | 長 길 장

① 파동의 마루에서 다음 마루까지의 거리.

예 자외선의 파장은 가시광선보다 짧다.

어휘쏙 파동 물리적인 상태의 변화가 차츰 둘레에 퍼져 가는 현상.

② 충격적인 일이 끼치는 영향을 이르는 말.

예 이번 사건의 파장으로 많은 회사가 문을 닫았다.

파장²

罷 파할 파 | 場 마당 장

여러 사람이 모여 벌이던 판이 거의 끝남. 또는 그 무렵.

예 잔치가 파장이 되었을 때 그가 도착했다.

향수¹

香 향기 향 | 水 물 수

액체 화장품의 하나.

예 그녀는 옷에서 향수 냄새가 진하게 났다.

향수²

鄕 시골 향 | 愁 근심 수

고향을 그리워하는 마음이나 시름.

예 그는 오랜 외국 생활로 한국에 대한 향수에 젖었다.

어휘쏙 시름 마음에 걸려 풀리지 않고 항상 남아 있는 근심과 걱정.

확인학습

▶ 정답 33쪽

1-2 밑줄 친 낱말의 뜻으로 알맞은 것의 기호를 쓰세요.

1 땅을 깊숙하게 <u>파서</u> 항아리를 묻었다. (   )
㉠ 구멍이나 구덩이를 만들다.
㉡ 어떤 것을 알아내거나 밝히기 위하여 몹시 노력하다.

2 나는 예쁜 병에 담긴 <u>향수</u>를 모으는 것이 취미이다. (   )
㉠ 액체 화장품의 하나.
㉡ 고향을 그리워하는 마음이나 시름.

3-5 다음 밑줄 친 낱말의 뜻풀이를 찾아 바르게 선으로 이으세요.

3 땅 밑에 지하수가 <u>흐른다</u>.   •   • ㉠ 시간이나 세월이 지나가다.

4 그의 얼굴에 미소가 <u>흘렀다</u>.   •   • ㉡ 기운이나 상태가 겉으로 드러나다.

5 사건 이후 며칠의 시간이 <u>흘렀다</u>. •   • ㉢ 액체가 낮은 곳으로 내려가거나 넘쳐서 떨어지다.

6-7 빈칸에 들어갈 알맞은 낱말을 보기 에서 찾아 쓰세요.

> **보기**   파서   파장   향수   흘러서

6 고향에 대한 (   )이/가 점점 진해졌다.

7 그는 이 일을 계속 (   ) 얻을 이득이 없다.

8-9 다음 뜻풀이에 알맞은 낱말을 보기 에서 찾아 기호를 쓰세요.

> **보기** 하은: 어제 운동회 ㉠<u>파장</u> 무렵에 비가 와서 달리기 결승전을 못 치르게 되었지?
> 영지: 응, 그 일의 ㉡<u>파장</u>으로 오늘까지 학교가 시끌시끌해.

8 충격적인 일이 끼치는 영향을 이르는 말. (   )

9 여러 사람이 모여 벌이던 판이 거의 끝남. 또는 그 무렵. (   )

걸린 시간   분   맞은 개수   개

심화 어휘 - 주제별 속담

★ 간사하고 음흉함

간에 붙었다 쓸개에 붙었다 한다

자기에게 이익이 되면 이편에 붙었다 저편에 붙었다 함을 이르는 말.

예 그는 간에 붙었다 쓸개에 붙었다 하는 편이라서, 계속 눈치를 보며 누구한테 잘 보일지 고민 중이었다.

닭 잡아먹고 오리 발 내놓기

옳지 못한 일을 저질러 놓고 엉뚱한 수작으로 속여 넘기려 하는 일을 이르는 말.

예 선물을 몰래 팔아 버리고서는 도둑맞았다고 둘러대다니, 완전히 닭 잡아먹고 오리 발 내놓기구나.

병 주고 약 준다

남을 해치고 나서 약을 주며 그를 구원하는 체한다는 뜻으로, 교활하고 음흉한 자의 행동을 이르는 말.

예 자기가 해고한 직원을 위로하다니 병 주고 약 주는 꼴이지.

심화 어휘 - 주제별 관용어

★ 입과 관련된 관용어

입만 아프다

여러 번 말하여도 받아들이지 아니하여 말한 보람이 없다.

예 그는 말을 듣지 않으니 충고를 해 줘도 입만 아프다.

입에 거미줄 치다

가난하여 먹지 못하고 오랫동안 굶다.

예 가게에 손님이 너무 없어서 입에 거미줄 칠 지경이다.

입을 모으다

여러 사람이 같은 의견을 말하다.

예 친구들은 나에게 반장 선거에 나가라고 입을 모아 말했다.

입이 닳다

다른 사람이나 물건에 대하여 거듭해서 말하다.

예 운동을 하라고 입이 닳도록 말했지만 말을 듣지 않는다.

▼ 정답 33쪽

1-3 다음 관용어와 그 뜻풀이를 바르게 선으로 이으세요.

1 입에 거미줄 치다 •

• ㉠ 여러 사람이 같은 의견을 말하다.

2 입을 모으다 •

• ㉡ 가난하여 먹지 못하고 오랫동안 굶다.

3 입이 닳다 •

• ㉢ 다른 사람이나 물건에 대하여 거듭해서 말하다.

4-5 다음 뜻풀이에 알맞은 속담을 보기 에서 찾아 기호를 쓰세요.

> 보기 ㉠ 병 주고 약 준다
> ㉡ 닭 잡아먹고 오리 발 내놓기
> ㉢ 간에 붙었다 쓸개에 붙었다 한다

4 자기에게 이익이 되면 이편에 붙었다 저편에 붙었다 함을 이르는 말. (　　　)

5 옳지 못한 일을 저질러 놓고 엉뚱한 수작으로 속여 넘기려 하는 일을 이 (　　　)
르는 말.

6-7 빈칸에 들어갈 알맞은 낱말을 보기 에서 찾아 쓰세요.

> 보기 　　　　물　　쓸개　　심장　　약

6 매일 야근을 시키다가 건강을 걱정해 주다니 병 주고 (　　　) 주는 경우이다.

7 선거 때마다 당을 바꾸며 간에 붙었다 (　　　)에 붙었다 하던 정치인이 선거에서 떨
어졌다.

8 다음 상황에 알맞은 관용어를 골라 ○표를 하세요.

> 엄마는 동생에게 방 청소를 하라고 입이 (닳게, 붓게) 말씀하셨다. 그렇지만 동생은
> 웃기만 하고 계속 놀고 있었다. 아빠는 잔소리하는 엄마 입만 (뜨겁지, 아프지) 아무 소
> 용이 없다며 한탄하셨다.

걸린 시간 　　　　분　　　맞은 개수 　　　　개

MEMO

어휘력 향상에 꼭 필요한 805개 필수 낱말 총정리

초등 국어

일등급 어휘력

6

[어휘력 테스트 & 정답과 해설]

어휘력 테스트

1-3 밑줄 친 낱말의 뜻풀이를 보기에서 찾아 기호를 쓰세요.

> **보기**
> ㉠ 음식물이 입에 당기는 맛.
> ㉡ 옆길로 빠지지 아니하고 곧바로.
> ㉢ 바다나 호수를 둑으로 막고, 그 안의 물을 빼내어 육지로 만드는 일.

1 친구와 헤어져 <u>곧장</u> 집으로 왔다.

2 김치가 아주 잘 익어서 <u>감칠맛</u>이 난다.

3 <u>간척</u> 사업으로 땅은 넓어졌지만 물고기의 종류는 줄어들었다.

4-6 빈칸에 들어갈 알맞은 낱말을 보기에서 찾아 쓰세요.

> **보기**
> 간곡한   감명   강압   구성진

4 (   ) 창 소리가 마음을 울렸다.

5 유관순의 행동에 (   )을/를 받았다.

6 (   ) 동생의 부탁에 장난감을 양보했다.

7-9 다음 문장에서 알맞지 않게 쓰인 낱말에 밑줄을 긋고 알맞은 낱말로 고쳐 쓰세요.

7 산을 계발하여 공원을 만들면 숲이 사라진다.

8 이 가방은 걷잡아도 1킬로그램은 나가 보인다.

9 꽃 품종을 계량하여 더 오래 가는 꽃을 만들었다.

10-12 다음 초성과 뜻풀이를 참고하여 빈칸에 들어갈 낱말을 쓰세요.

10 ㄱㅊ : 화학 분석에서, 시료 안에 어떤 원소나 미생물이 있는가를 가려냄.
→ 썩은 음식에서 세균이 (   )되었다.

11 ㄱㅆ다 : 말이나 생각 등을 곰곰이 되풀이하다.
→ 나의 잘못을 지적하시는 선생님의 말씀을 (   )어 보니 부끄러웠다.

12 ㄱㅈ다 : 마음을 진정하거나 억제하다.
→ 할머니가 돌아가시자 슬픔이 (   )을 수 없었다.

13-14 밑줄 친 낱말과 바꾸어 쓸 수 있는 낱말을 보기에서 찾아 쓰세요.

> **보기**
> 개통   대략적   장애물

13 내 숙제를 방해하는 <u>걸림돌</u>은 동생이다.

14 동화를 읽고 줄거리를 <u>개략적</u>으로 정리하였다.

15 보기의 빈칸에 들어갈 낱말이 순서대로 짝 지어진 것은 무엇인가요?

> **보기**
> 우리 아파트에서 바자회를 개최한다는 안내문을 아파트 입구에 (   )하였다. 우리 집에서는 바자회에 어떤 물건을 내놓을지 오늘 저녁에 회의를 (   )하기로 했다.

① 게시 – 게시   ② 개시 – 게시
③ 개시 – 개시   ④ 게시 – 개시

 걸린 시간 (   ) 분   맞은 개수 (   ) 개

02회 어휘력 테스트

[1-3] 다음 뜻풀이에 알맞은 낱말을 **보기**에서 찾아 쓰세요.

> **보기**   경공업   경지   까무러치다   꾸부정하다

1 매우 구부러져 있다.   (   )

2 얼마 동안 정신을 잃고 죽은 사람처럼 되다.   (   )

3 무게가 가벼운 물건을 만드는 공업으로, 섬유 공업, 식품 공업 등이 있다.   (   )

[4-6] 빈칸에 공통으로 들어갈 낱말을 **보기**에서 찾아 쓰세요.

> **보기**   고갈   그득   기껍게   꺼리게

4 • 영화관에 사람이 (   )하다.
　 • 과일 상자에 과일이 (   )하다.

5 • 연못의 물이 (   )되어 흉해 보인다.
　 • 학급 비품이 (   )되어 수업이 힘들다.

6 • 동생이 준 생일 선물을 (   ) 받았다.
　 • 우리 가족이 모여서 (   ) 식사를 했다.

[7-8] 다음 초성과 뜻풀이를 참고하여 빈칸에 들어갈 낱말을 쓰세요.

7 ㄱㅇ : 상대를 공경하는 뜻의 말.
　➔ 여러 사람 앞에서 발표할 때에는 (   )을/를 사용해야 한다.

8 ㄱㅌ : 어떤 사실이나 내용을 분석하여 따짐.
　➔ 과제를 내기 전에 다시 한번 (   )해야 실수를 줄일 수 있다.

[9-12] 다음 뜻풀이에 알맞은 한자 성어를 **보기**에서 찾아 기호를 쓰세요.

> **보기**   ㉠ 구밀복검   ㉡ 면종복배
> 　　　　㉢ 조변석개   ㉣ 양두구육

9 말로는 친한 듯하나 속으로는 해칠 생각이 있음.   (   )

10 겉으로는 복종하는 체하면서 내심으로는 배반함.   (   )

11 아침저녁으로 뜯어고친다는 뜻으로, 계획이나 결정을 일관성이 없이 자주 고침.   (   )

12 양의 머리를 걸어 놓고 개고기를 판다는 뜻으로, 겉보기만 그럴듯하게 보이고 속은 변변하지 아니함.   (   )

[13-15] 다음 상황을 표현하기에 알맞은 한자 성어를 찾아 바르게 선으로 이으세요.

13 학교 교칙이 자주 바뀌어 정신이 없다. •

　　　　　　　　　　　　• ㉠ 부화뇌동

14 동생은 겉으로는 친절해 보여도 나를 괴롭힐 생각으로 가득하다. •

　　　　　　　　　　　　• ㉡ 조령모개

15 주미는 나의 말이 옳다고 했다가 짝의 말을 듣고 나서는 짝의 말이 옳다고 했다. •

　　　　　　　　　　　　• ㉢ 표리부동

걸린 시간　　　　분　맞은 개수　　　　개

03회 어휘력 테스트

1-3 다음 뜻풀이에 알맞은 낱말을 보기 에서 찾아 쓰세요.

> **보기** 감상   고적   공감   관할

1 옛 문화를 보여 주는 건물이나 터. (   )

2 주로 예술 작품을 이해하여 즐기고 평가함.
(   )

3 남의 감정, 의견, 주장 등에 대하여 자기도 그렇다고 느낌. (   )

4-5 밑줄 친 낱말이 다음과 같은 뜻으로 쓰인 문장의 기호를 쓰세요.

4 관계를 이어지지 않게 하다.
> ㉠ 줄넘기 줄이 너무 길어서 끊었다.
> ㉡ 우리 가족은 옆집과 교류를 끊었다.

5 사실이 아니거나 또는 사실인지 아닌지 분명하지 않은 것을 임시로 인정함.
> ㉠ 가정에서 아이들의 교육이 이루어진다.
> ㉡ 방학이 길어진다고 가정을 하고 계획을 세우면 안 된다.

6-8 다음 밑줄 친 부분과 의미가 통하는 관용어를 보기 에서 찾아 기호를 쓰세요.

> **보기** ㉠ 간이 크다   ㉡ 간담이 서늘하다
>   ㉢ 간도 쓸개도 없다   ㉣ 간에 기별도 안 가다

6 현지는 겁도 없이 1시간이나 지각을 했다.

7 케이크를 너무 조금 먹어서 배가 부르지 않다.

8 자동차가 바로 내 눈앞에서 멈추어 서서 무척 놀랐다.

9-12 밑줄 친 낱말의 뜻풀이를 보기 에서 찾아 기호를 쓰세요.

> **보기** ㉠ 기울기나 경사가 가파르다.
> ㉡ 습관처럼 하던 것을 더 이상 하지 않다.
> ㉢ 국가적이나 사회적으로 인정된 공적인 방식.
> ㉣ 무엇을 관찰할 때, 그 사람이 보고 생각하는 태도나 방향.

9 대통령의 공식 발표가 있을 것이다. (   )

10 경사가 급한 언덕에서 자전거가 빨리 내려왔다.
(   )

11 늘 마시던 보리차를 끊고 생수를 마시기로 했다.
(   )

12 인간에 대한 작가의 관점이 무엇인지 궁금해서 책을 읽었다. (   )

13-15 다음 뜻풀이에 알맞은 속담을 보기 에서 찾아 기호를 쓰세요.

> **보기** ㉠ 달도 차면 기운다
> ㉡ 십 년이면 강산도 변한다
> ㉢ 비 온 뒤에 땅이 굳어진다

13 세월이 흐르게 되면 모든 것이 다 변하게 됨을 이르는 말. (   )

14 세상의 온갖 것이 한번 번성하면 다시 쇠하기 마련이라는 말. (   )

15 비에 젖었던 흙도 마르면서 단단하게 굳어진다는 뜻으로, 어떤 시련을 겪은 뒤에 더 강해짐을 이르는 말. (   )

걸린 시간   분   맞은 개수   개

1-3 밑줄 친 낱말의 뜻풀이를 [보기]에서 찾아 기호를 쓰세요.

[보기]
㉠ 돈이나 증권 등을 주고받아 거래 관계를 끝맺음.
㉡ 불길이 밖으로 자꾸 날쌔게 나왔다 들어갔다 하다.
㉢ 투표, 경기 등에 참가할 수 있는 권리를 스스로 포기하고 행사하지 않음.

1 기권하지 말고 끝까지 승부를 겨루자.

2 날름대는 장작불의 불길에 고기가 익어 갔다.

3 요즘 현금보다 카드로 결제하는 사람이 많다.

4-6 빈칸에 들어갈 알맞은 낱말을 [보기]에서 찾아 쓰세요.

[보기]   교역   기풍   노여워   다소곳

4 우리 가족은 부지런한 (   )을/를 지녔다.

5 아이는 유치원에 (   )한 표정으로 앉아 있었다.

6 나의 실수에도 선생님께서는 (   )하지 않으시고 용서해 주셨다.

7-9 다음 문장에서 알맞지 않게 쓰인 낱말에 밑줄을 긋고 알맞은 낱말로 고쳐 쓰세요.

7 과녁에 화살을 겨루었다.

8 선생님께서는 교장 선생님께 회의 안건을 결제 받으러 가셨다.

9 학급 회의에서 우리 모둠의 주장을 굳혀서 다른 모둠의 의견을 따랐다.

10-12 다음 초성과 뜻풀이를 참고하여 빈칸에 들어갈 낱말을 쓰세요.

10 ㄱ ㅇ : 바라는 일이 이루어지기를 빎.
→ 친구는 나의 성공을 (   )하며 응원해 주었다.

11 ㄴ ㄸ ㄹ 다: 꽤 넓다.
→ 전교생이 모여 운동회를 할만큼 운동장이 (   )다.

12 ㄴ ㄹ ㅉ 다: 볕이 세차게 아래로 비치다.
→ 햇볕이 너무 (   )어 눈을 뜨기 힘들다.

13-14 밑줄 친 낱말과 바꾸어 쓸 수 있는 낱말을 [보기]에서 찾아 쓰세요.

[보기]   공헌   기풍   즉시

13 유빈이는 우리 팀의 우승에 큰 기여를 했다.

14 어머니께서는 단박 나의 거짓말을 눈치채셨다.

15 [보기]의 빈칸에 들어갈 낱말이 순서대로 짝 지어진 것은 무엇인가요?

[보기]
숲속에 따스한 봄볕이 내려 평화로운 기운이 (   ) 있었다. 밤이 되면 새들은 산속 어미 새를 찾아 자신의 보금자리에 (   ) 잠을 잘 것이다.

① 깃들어 – 깃들여   ② 깃들여 – 깃들여
③ 깃들어 – 깃들어   ④ 깃들여 – 깃들어

걸린 시간   분   맞은 개수   개

1-3 다음 뜻풀이에 알맞은 낱말을 보기 에서 찾아 쓰세요.

> **보기** 단청   답사   덥수룩하다   드높다

1 매우 높다.   (   )

2 더부룩하게 많이 난 수염이나 머리털이 어수선하게 덮여 있다.   (   )

3 옛날식 집의 벽, 기둥, 천장 등에 여러 가지 빛깔로 그림이나 무늬를 그림.   (   )

4-6 빈칸에 공통으로 들어갈 낱말을 보기 에서 찾아 쓰세요.

> **보기** 덩달아   둘러싸여   들썩이고   디디고

4 • 그 작가는 주위의 관심에 (   ) 있다.
   • 우승자가 사람에 (   ) 축하를 받았다.

5 • 물이 끓자 주전자 뚜껑이 (   ) 있다.
   • 운동회가 시작되자 마음이 (   ) 설렜다.

6 • 장영실은 어려움을 (   ) 성공했다.
   • 한발로 (   ) 서서 허수아비 흉내를 냈다.

7-8 다음 초성과 뜻풀이를 참고하여 빈칸에 들어갈 낱말을 쓰세요.

7 ㄴㅊ : 청력이 저하되어서 듣기 어렵게 된 상태.
   ➔ 나이를 먹으면 (   )이/가 되기 쉽다.

8 ㄷㅌ : 아주 몹시.
   ➔ 우리는 숙제를 안 해서 (   ) 꾸중들었다.

9-12 다음 뜻풀이에 알맞은 한자 성어를 보기 에서 찾아 기호를 쓰세요.

> **보기** ㉠ 간담상조   ㉡ 동량지재
> ㉢ 문경지교   ㉣ 철중쟁쟁

9 서로 속마음을 털어놓고 친하게 사귐. (   )

10 같은 무리 가운데서도 가장 뛰어나거나 그런 사람을 이르는 말.   (   )

11 집안이나 나라를 떠받치는 중대한 일을 맡을 만한 인재를 이르는 말.   (   )

12 생사를 같이할 수 있는 아주 가까운 사이, 또는 그런 친구를 이르는 말.   (   )

13-15 다음 상황을 표현하기에 알맞은 한자 성어를 찾아 바르게 선으로 이으세요.

13 이모와 이모부는 재주 있고 아름다운 부부이다. •   • ㉠ 지음

14 그 친구와 나는 서로 눈빛만 보고도 서로의 마음을 잘 안다. •   • ㉡ 재자가인

15 어머니와 친구는 서로를 존중하는 맑고 고귀한 우정을 나누어 왔다. •   • ㉢ 지란지교

걸린 시간 (   ) 분   맞은 개수 (   ) 개

1-3 다음 뜻풀이에 알맞은 낱말을 **보기**에서 찾아 쓰세요.

> **보기**   대양   등재하다   막막하다   맥락

1 서적이나 잡지 등에 싣다. (   )

2 의지할 데 없이 외롭고 답답하다. (   )

3 어떤 일이 서로 이어져 있는 관계나 연관.
(   )

4-5 밑줄 친 낱말이 다음과 같은 뜻으로 쓰인 문장의 기호를 쓰세요.

4 잠자리에서 일어남.

> ㉠ 나는 항상 기상 시간이 일정하다.
> ㉡ 기상 이상으로 비행기가 뜨지 않았다.

5 수나 분량, 시간 등이 본디보다 많아지다.

> ㉠ 공부한 시간이 늘수록 성적은 오를 것이다.
> ㉡ 그림 그리기 솜씨가 늘었다고 칭찬을 받았다.

6-8 다음 밑줄 친 부분과 의미가 통하는 관용어를 **보기**에서 찾아 기호를 쓰세요.

> **보기** ㉠ 귀가 얇다   ㉡ 귀에 익다
>   ㉢ 귀가 따갑다   ㉣ 귓가에 맴돌다

6 뒤에서 익숙한 할머니의 목소리가 나를 불렀다.

7 잠자리에 들기 전에 양치질을 하라는 말을 여러 번 들어서 듣기 싫었다.

8 별로 관심이 없던 게임기였는데 정말 재미있다는 친구의 말에 혹해서 그 게임기를 샀다.

9-12 밑줄 친 낱말의 뜻풀이를 **보기**에서 찾아 기호를 쓰세요.

> **보기** ㉠ 어떤 사실을 잊어버림.
>   ㉡ 어떤 현상이나 사건이 일어나다.
>   ㉢ 산이나 들에 나무나 화초를 심어 푸르게 함.
>   ㉣ 어떤 목적을 달성하고자 사람을 모으거나 물건, 수단, 방법 등을 집중함.

9 가족들을 모두 동원해서 김장을 했다. (   )

10 시에서 실시한 녹화 사업으로 뒷동산이 푸르러졌다.   (   )

11 지난 잘못을 망각하고 같은 실수를 저지르면 안된다.   (   )

12 사고가 나기 전까지 그 횡단보도의 위험성을 알지 못했다.   (   )

13-15 다음 뜻풀이에 알맞은 속담을 **보기**에서 찾아 기호를 쓰세요.

> **보기** ㉠ 배보다 배꼽이 더 크다
>   ㉡ 고래 싸움에 새우등 터진다
>   ㉢ 사공이 많으면 배가 산으로 간다

13 기본이 되는 것보다 덧붙이는 것이 더 많거나 큰 경우를 이르는 말.   (   )

14 여러 사람이 자기주장만 내세우면 일이 제대로 되기 어려움을 이르는 말.   (   )

15 강한 자들끼리 싸우는 통에 아무 상관도 없는 약한 자가 중간에 끼어 피해를 입게 됨을 이르는 말.   (   )

 걸린 시간   분   맞은 개수   개

1-3 밑줄 친 낱말의 뜻풀이를 보기에서 찾아 기호를 쓰세요.

> **보기**
> ㉠ 오는 것을 맞다.
> ㉡ 마음에 들지 않아 좋지 않다.
> ㉢ 바람이나 추위가 따가울 정도로 심하다.

1 새해를 <u>맞이하는</u> 행사가 열렸다.

2 <u>매서운</u> 겨울 바람에 옷깃을 여미었다.

3 나의 의견이 <u>못마땅한지</u> 찬성하는 친구가 한 명도 없었다.

4-6 빈칸에 들어갈 알맞은 낱말을 보기에서 찾아 쓰세요.

> **보기** 떼굴떼굴   모종   목청껏   반구

4 언덕에서 돌이 (   ) 굴러 내려왔다.

5 친구들과 야구 경기장에서 (   ) 응원을 했다.

6 우리 반은 운동회에서 이기기 위한 (   )의 계획을 짰다.

7-9 다음 문장에서 알맞지 <u>않게</u> 쓰인 낱말에 밑줄을 긋고 알맞은 낱말로 고쳐 쓰세요.

7 어머니께서 묻히신 시금치나물이 맛있다.

8 축구를 하자는 동생의 등살에 못 이겨 밖으로 나갔다.

9 시우와 나는 어릴 때부터 사귀어 온 막연한 친구 사이였다.

10-12 다음 초성과 뜻풀이를 참고하여 빈칸에 들어갈 낱말을 쓰세요.

10 ㄷ ㅅ : 등에 있는 근육.
➜ (   )이/가 올라 셔츠가 꽉 끼었다.

11 ㅁ ㄲ ㄹ : 한마디 말이나 한 차례 말의 맨 끝.
➜ (   )을/를 흐리는 말버릇은 좋지 않다.

12 ㅂ ㅇ : 자극에 대응하여 어떤 현상이 일어남. 또는 그 현상.
➜ 교실에서 큰 소리가 나자 큰 (   )이/가 일어났다.

13-14 밑줄 친 낱말과 바꾸어 쓸 수 있는 낱말을 보기에서 찾아 쓰세요.

> **보기**   뜬금없는   몰지각한   참혹한

13 전쟁의 <u>무참한</u> 실상을 목격했다.

14 그의 <u>무분별한</u> 언행에 사람들이 불쾌해 하였다.

15 보기의 빈칸에 들어갈 낱말이 순서대로 짝 지어진 것은 무엇인가요?

> **보기** 선생님께서 시험을 갑자기 실시하셨다. 시험 공부를 안 해서 몇 문제나 (   ) 걱정이 되었다. 시험이 끝나자마자 친구들과 정답을 (   ) 보았다.

① 맞힐지 – 맞히어
② 맞출지 – 맞추어
③ 맞출지 – 맞히어
④ 맞힐지 – 맞추어

걸린 시간 (   ) 분   맞은 개수 (   ) 개

1-3 다음 뜻풀이에 알맞은 낱말을 **보기** 에서 찾아 쓰세요.

> **보기**
> 무시무시하다   벌그데데하다
> 버둥거리다   벼르다

1 몹시 무섭다. ( )

2 조금 천박하게 벌그스름하다. ( )

3 마음속으로 준비를 단단히 하고 기회를 엿보다. ( )

4-6 빈칸에 공통으로 들어갈 낱말을 **보기** 에서 찾아 쓰세요.

> **보기** 무너뜨렸다   미어졌다   바짝   반들거렸다

4 • 파도가 모래성을 ( ).
    • 나쁜 댓글이 온라인 질서를 ( ).

5 • 밤을 많이 넣어 주머니가 ( ).
    • 강아지를 잃은 슬픔에 가슴이 ( ).

6 • 빨래가 ( ) 말랐다.
    • 동생은 나에게 ( ) 다가와 과자를 달라고 했다.

7-8 다음 초성과 뜻풀이를 참고하여 빈칸에 들어갈 낱말을 쓰세요.

7 ㅂㅎ : 달라져서 바뀜.
    → 한글 파일을 그림으로 ( )하였다.

8 ㅂㅇ : 돌보거나 간섭하지 않고 제멋대로 내버려 둠.
    → 바빠서 강아지를 ( )하였더니 강아지가 병들었다.

9-12 다음 뜻풀이에 알맞은 한자 성어를 **보기** 에서 찾아 기호를 쓰세요.

> **보기** ㉠ 고군분투   ㉡ 산전수전
> ㉢ 은인자중   ㉣ 천신만고

9 마음속에 감추어 견디면서 몸가짐을 신중하게 행동함. ( )

10 남의 도움을 받지 아니하고 힘에 벅찬 일을 잘해 나가는 것을 이르는 말. ( )

11 산에서도 싸우고 물에서도 싸웠다는 뜻으로, 세상의 온갖 고생과 어려움을 다 겪었음을 이르는 말. ( )

12 천 가지 매운 것과 만 가지 쓴 것이라는 뜻으로, 온갖 어려운 고비를 다 겪으며 심하게 고생함을 이르는 말. ( )

13-15 다음 상황을 표현하기에 알맞은 한자 성어를 찾아 바르게 선으로 이으세요.

13 교통사고를 당하고 겨우 목숨을 건졌다.   •   • ㉠ 구사일생

14 그는 집에 틀어박혀 열심히 시험 공부를 하였다.   •   • ㉡ 두문불출

15 모든 참석자에게 선물을 준다는 진행자의 말에 의심이 들었다.   •   • ㉢ 반신반의

걸린 시간 ( )분   맞은 개수 ( )개

[1-3] 다음 뜻풀이에 알맞은 낱말을 **보기**에서 찾아 쓰세요.

> **보기**　당기다　떨어지다　분담　분별

1　나누어서 맡음.　（　　　）

2　좋아하는 마음이 일어나 저절로 끌리다.
　　　（　　　）

3　값, 기온, 수준 등이 낮아지거나 내려가다.
　　　（　　　）

[4-5] 밑줄 친 낱말이 다음과 같은 뜻으로 쓰인 문장의 기호를 쓰세요.

4　힘을 주어 자기 쪽이나 일정한 방향으로 가까이 오게 하다.

　　ⓐ 부모님께서는 약속 시간을 당겼다.
　　ⓑ 미영이는 가까이 오라고 나를 당겼다.

5　두 가지의 차이를 밝히기 위하여 서로 맞대어 비교함.

　　ⓐ 작년과 올해에 잰 키를 대비해 보았다.
　　ⓑ 안전 수칙을 잘 지켜 실험실 사고를 대비하자.

[6-8] 다음 밑줄 친 부분과 의미가 통하는 관용어를 **보기**에서 찾아 기호를 쓰세요.

> **보기**　ⓐ 꿈을 깨다　　ⓑ 꿈에 밟히다
> 　　　　　ⓒ 꿈도 못 꾸다　ⓓ 꿈도 야무지다

6　옛날 친구들이 자꾸 꿈에 나타났다.

7　그렇게 공부를 안 하면서 1등을 기대하는 것은 말도 안 된다.

8　누나에게 이렇게 엄청난 생일 선물을 받게 될 줄은 전혀 생각하지 못했다.

[9-12] 밑줄 친 낱말의 뜻풀이를 **보기**에서 찾아 기호를 쓰세요.

> **보기**　ⓐ 일정한 거리를 두고 있다.
> 　　　　ⓑ 말썽을 일으키어 시끄럽고 복잡하게 다툼.
> 　　　　ⓒ 추위 때문에 살갗이 얼어서 조직이 상하는 일.
> 　　　　ⓓ 의심이나 부조리한 점 등을 말끔히 없앰을 이르는 말.

9　한 자리씩 떨어져 앉아라.　（　　　）

10　두 나라 간의 분쟁으로 무역이 중지되었다.
　　　（　　　）

11　추운 겨울에 눈싸움을 했더니 동상이 걸렸다.
　　　（　　　）

12　과거의 실수를 불식하고 새로운 마음으로 학급 일을 하자.　（　　　）

[13-15] 다음 뜻풀이에 알맞은 속담을 **보기**에서 찾아 기호를 쓰세요.

> **보기**　ⓐ 아 해 다르고 어 해 다르다
> 　　　　ⓑ 입이 열 개라도 할 말이 없다
> 　　　　ⓒ 입은 비뚤어져도 말은 바로 해라

13　잘못이 명백히 드러나 변명의 여지가 없음을 이르는 말.　（　　　）

14　상황이 어떻든지 말은 언제나 바르게 하여야 함을 이르는 말.　（　　　）

15　같은 내용의 이야기라도 이렇게 말하여 다르고 저렇게 말하여 다르다는 말.　（　　　）

걸린 시간　　　분　맞은 개수　　　개

1-3 밑줄 친 낱말의 뜻풀이를 **보기**에서 찾아 기호를 쓰세요.

> **보기**
> ㉠ 격이 낮고 속된 말.
> ㉡ 깨어져 잘게 조각이 나다.
> ㉢ 몹시 힘든 일을 할 때 쏟아져 내리는 땀.

1 비속어 사용을 줄여야 한다.

2 낙엽을 밟으니 낙엽이 부스러졌다.

3 비지땀을 흘리며 개미는 열심히 먹이를 모았다.

4-6 빈칸에 들어갈 알맞은 낱말을 **보기**에서 찾아 쓰세요.

> **보기** 비꼬는 빙하 삭막한 산산조각

4 짝꿍이 나에게 (   ) 말을 해서 화가 났다.

5 유리 액자가 바닥에 떨어져 (   )이/가 났다.

6 물을 찾기 힘든 (   ) 사막에 낙타가 걸어갔다.

7-9 다음 문장에서 알맞지 않게 쓰인 낱말에 밑줄을 긋고 알맞은 낱말로 고쳐 쓰세요.

7 보물찾기 놀이를 하다가 보물을 발명했다.

8 시험에 합격하기 위해 열정을 받쳐 공부했다.

9 그 집은 보완 장치가 잘되어 있어서 도둑이 들어오지 못한다.

10-12 다음 초성과 뜻풀이를 참고하여 빈칸에 들어갈 낱말을 쓰세요.

10 ㅂㄱ : 물체가 두드러지게 솟아오르거나 떠오르는 모양.

➜ 아침 해가 바다에서 (   ) 솟아올랐다.

11 ㅂㅉ : 무엇이 갑자기 늘어나거나 줄어드는 모양을 나타내는 말.

➜ 키가 (   ) 자라서 옷이 작아졌다.

12 ㅅㅈ : 나라를 대표하여 일정한 사명을 띠고 외국에 파견되는 사람.

➜ 임금은 중국에 (   )을/를 보내 외교 관계를 맺었다.

13-14 밑줄 친 낱말과 바꾸어 쓸 수 있는 낱말을 **보기**에서 찾아 쓰세요.

> **보기** 격려하는 비아냥대는 피차

13 우리는 상호의 관심사에 대해 대화했다.

14 채연이와 정수는 서로 북돋우는 사이이다.

15 **보기**의 빈칸에 들어갈 낱말이 순서대로 짝 지어진 것은 무엇인가요?

> **보기** 우리 아파트 쓰레기 (   ) 시설을 개선해야 했다. 비용은 주민들이 그동안 모아 두었던 비상금에서 (   )하기로 의견을 모았다.

① 배출 – 배출 ② 방출 – 배출
③ 배출 – 방출 ④ 방출 – 방출

 걸린 시간 [   ] 분 맞은 개수 [   ] 개

1-3 다음 뜻풀이에 알맞은 낱말을 **보기**에서 찾아 쓰세요.

보기 선입견   섬기다   순환   사부작대다

1 신(神)이나 윗사람을 잘 모시어 받들다.
( )

2 주기적으로 자꾸 되풀이하여 돎. 또는 그런 과정.
( )

3 어떤 대상에 대하여 이미 마음속에 가지고 있는 고정적인 관념이나 관점. ( )

4-6 빈칸에 공통으로 들어갈 낱말을 **보기**에서 찾아 쓰세요.

보기 뽈뽈이   살포시   선풍적   섣부른

4 • 아기를 ( ) 안았다.
• 희수는 ( ) 미소 지었다.

5 • 축구팀이 해체되어 ( ) 흩어졌다.
• 교실에서 ( ) 흩어져 집으로 갔다.

6 • 신문 기사가 ( ) 화제를 몰고 왔다.
• 그 가수의 노래가 ( ) 인기를 끌었다.

7-8 다음 초성과 뜻풀이를 참고하여 빈칸에 들어갈 낱말을 쓰세요.

7 ㅅㄱ다: 물건의 사이가 뜨다.
➡ 돗자리가 ( )게 짜여져 있었다.

8 ㅃㄱ하다: 피로나 몸살 등으로 근육이 뭉치거나 결려서 움직이기에 둔하다.
➡ 어제 달리기를 오래 했더니 다리가 ( ) 하다.

9-12 다음 뜻풀이에 알맞은 한자 성어를 **보기**에서 찾아 기호를 쓰세요.

보기 ㉠ 각골통한   ㉡ 비분강개
      ㉢ 천인공노   ㉣ 타산지석

9 슬프고 분하여 마음이 북받침. ( )

10 뼈에 사무칠 만큼 원통하고 한스러움.
( )

11 누구나 분노할 만큼 증오스럽거나 도저히 용납할 수 없음을 이르는 말. ( )

12 본이 되지 않은 남의 말이나 행동도 자신의 지식과 인격을 수양하는 데에 도움이 될 수 있음을 이르는 말. ( )

13-15 다음 상황을 표현하기에 알맞은 한자 성어를 찾아 바르게 선으로 이으세요.

13 옆 반과의 농구 경기에 져서 몹시 분한 마음이 북받쳤다.   • ㉠ 반면교사

14 그는 억울하게 도둑으로 몰려서 분하여 이를 갈며 속을 썩였다.   • ㉡ 분기충천

15 부모님께 꾸중듣는 동생의 모습을 보고 나는 그러지 않기로 다짐했다. • ㉢ 절치부심

걸린 시간 분 맞은 개수 개

1-3 다음 뜻풀이에 알맞은 낱말을 **보기** 에서 찾아 쓰세요.

> **보기**   밝다   심각하다   안건   양분

1 영양이 되는 성분. ( )

2 토의하거나 조사하여야 할 사실. ( )

3 상태나 정도가 매우 깊고 중대하다. ( )

4-5 밑줄 친 낱말이 다음과 같은 뜻으로 쓰인 문장의 기호를 쓰세요.

4 고향이 같음. 또는 같은 고향.
  ㉠ 기자는 최근 경제 동향을 취재했다.
  ㉡ 아버지께서 동향 친구를 만나서 기뻐하셨다.

5 규범이나 이치, 체계 등에 어긋나다.
  ㉠ 나는 학교를 벗어나서 집으로 향했다.
  ㉡ 학급 규칙에 벗어나는 행동을 하면 벌칙을 받는다.

6-8 다음 밑줄 친 부분과 의미가 통하는 관용어를 **보기** 에서 찾아 기호를 쓰세요.

> **보기** ㉠ 눈이 맞다   ㉡ 눈을 붙이다
>   ㉢ 눈물이 앞서다   ㉣ 눈도 깜짝 안 하다

6 어머니께서는 잠깐 주무시고 밤새 나를 간호하셨다.

7 나와 짝꿍은 짝이 되자마자 마음이 통해서 사이 좋게 지냈다.

8 수업 시간에 교실에 새가 들어왔는데 찬우는 조금도 놀라지 않았다.

9-12 밑줄 친 낱말의 뜻풀이를 **보기** 에서 찾아 기호를 쓰세요.

> **보기** ㉠ 매우 조심스럽다.
>   ㉡ 어려운 일이나 처지에서 헤어나다.
>   ㉢ 때리거나 부수는 등의 육체를 사용한 힘.
>   ㉣ 싸움이나 그 밖의 다른 일로 큰 혼란에 빠진 곳.

9 신중하게 진로를 선택해야 한다. ( )

10 일본은 무력으로 우리나라를 침범했다. ( )

11 일제의 지배에서 벗어나 독립을 이루었다. ( )

12 지하철이 늦게 도착하여 역 안이 아수라장이 되었다. ( )

13-15 다음 뜻풀이에 알맞은 속담을 **보기** 에서 찾아 기호를 쓰세요.

> **보기** ㉠ 백지장도 맞들면 낫다
>   ㉡ 먼 사촌보다 가까운 이웃이 낫다
>   ㉢ 길고 짧은 것은 대어 보아야 안다

13 쉬운 일이라도 협력하여 하면 훨씬 쉽다는 말. ( )

14 이기고 지고, 잘하고 못하는 것은 실지로 겨루어 보거나 겪어 보아야 알 수 있다는 말. ( )

15 이웃끼리 친하게 지내다 보면 먼 곳에 있는 일가보다 더 친하게 되어 서로 도우며 살게 된다는 것을 이르는 말. ( )

 걸린 시간   분   맞은 개수   개

1-3 밑줄 친 낱말의 뜻풀이를 **보기**에서 찾아 기호를 쓰세요.

> **보기** ㉠ 겉으로 드러나지 아니한 속마음이나 일의 내막.
> ㉡ 쏜 화살이라는 뜻으로, 매우 빠른 것을 이르는 말.
> ㉢ 영토에 인접하여 그 나라의 주권이 미치는 범위의 바다.

1 세월이 쏜살같이 흐른다.

2 낯선 배가 우리나라 영해에 침입했다.

3 상대 팀의 의견이 무엇인지 속내를 알 수 없다.

4-6 빈칸에 들어갈 알맞은 낱말을 **보기**에서 찾아 쓰세요.

> **보기** 역량 열중 시무룩한 싱그러운

4 ( ) 꽃 향기에 기분이 상쾌해졌다.

5 수진이가 혼자서 반을 이끌어 가기에는 아직 ( )이/가 부족하다.

6 오늘 친구와 놀기로 했었는데 청소 당번이라는 친구의 말에 ( ) 기분이 들었다.

7-9 다음 문장에서 알맞지 않게 쓰인 낱말에 밑줄을 긋고 알맞은 낱말로 고쳐 쓰세요.

7 친구가 비밀을 말하도록 부축했다.

8 벽에 그림을 셀로판테이프로 부쳤다.

9 이는 음식을 잘게 부시어 소화를 돕는다.

10-12 다음 초성과 뜻풀이를 참고하여 빈칸에 들어갈 낱말을 쓰세요.

10 ㅂㅊ다: 편지나 물건 등을 일정한 수단이나 방법을 써서 상대에게로 보내다.
→ 친구에게 편지를 ( )고 답장을 받았다.

11 ㅅㄷㄹ다: 괴로움이나 성가심을 당하다.
→ 아이의 괴롭힘에 ( )던 강아지가 사라졌다.

12 ㅅㄹㄱ리다: 자꾸 어수선하게 소란이 일다.
→ 공연장에 모인 사람들이 주인공이 나타나자 ( )렸다.

13-14 밑줄 친 낱말과 바꾸어 쓸 수 있는 낱말을 **보기**에서 찾아 쓰세요.

> **보기** 물가 영원 영해

13 낙동강 연안에는 아름다운 새가 많다.

14 사진을 영구 보존하려면 특별한 조치가 필요하다.

15 **보기**의 빈칸에 들어갈 낱말이 순서대로 짝 지어진 것은 무엇인가요?

> **보기** 체육 시간에 두 모둠으로 나누어 피구 경기를 했다. 공이 갑자기 날아와 놀라서 옆으로 ( ). 수업이 끝날 때까지 승부를 겨루지 못하고 결국 두 모둠이 ( ).

① 비켰다 - 비겼다   ② 비켰다 - 비켰다
③ 비겼다 - 비켰다   ④ 비겼다 - 비겼다

 걸린 시간 ( ) 분   맞은 개수 ( ) 개

1-3 다음 뜻풀이에 알맞은 낱말을 **보기**에서 찾아 쓰세요.

보기
> 아련하다   아리송하다
> 어림없다   어우러지다

1 도저히 될 가망이 없다.   (   )

2 여럿이 조화되어 한 덩어리나 한판을 크게 이루게 되다.   (   )

3 그런 것 같기도 하고 그렇지 않은 것 같기도 하여 분간하기 어렵다.   (   )

4-6 빈칸에 공통으로 들어갈 낱말을 **보기**에서 찾아 쓰세요.

보기
> 아련   온화   원통   웅장

4
• 유치원 때의 추억이 (   )하게 떠오른다.
• 바이올린 소리가 멀리 (   )하게 들린다.

5
• 설악산의 모습이 (   )하고 기이하다.
• (   )한 덕수궁의 모습에 넋을 잃었다.

6
• 봄이 되니 날씨가 점점 (   )해진다.
• 선생님께서는 성품이 인자하고 (   )하다.

7-8 다음 초성과 뜻풀이를 참고하여 빈칸에 들어갈 낱말을 쓰세요.

7 [ㅇ][ㅂ] : 빠짐없이 완전히 갖춤.
→ 준비물이 (   )되어서 우리 모둠은 작품 만들기에 어려움이 없었다.

8 [ㅇ][ㅇ][ㅊ] : 어떤 일에 관심을 가지는 듯한 태도를 보임.
→ 우영이와 진서의 싸움에 (   )을/를 하다가 싸움이 더 커졌다.

9-12 다음 뜻풀이에 알맞은 한자 성어를 **보기**에서 찾아 기호를 쓰세요.

보기
> ㉠ 계란유골   ㉡ 아전인수
> ㉢ 진퇴유곡   ㉣ 청천벽력

9 이러지도 저러지도 못하고 꼼짝할 수 없는 궁지.
                                      (   )

10 자기에게만 이롭게 되도록 생각하거나 행동함을 이르는 말.   (   )

11 맑게 갠 하늘에서 치는 날벼락이라는 뜻으로, 뜻밖에 일어난 큰 변고나 사건을 이르는 말.
                                      (   )

12 달걀에도 뼈가 있다는 뜻으로, 운수가 나쁜 사람은 모처럼 좋은 기회를 만나도 역시 일이 잘 안 됨을 이르는 말.   (   )

13-15 다음 상황을 표현하기에 알맞은 한자 성어를 찾아 바르게 선으로 이으세요.

13 피구를 하는데 앞뒤가 막혀서 도망가기 힘들었다.   •   • ㉠ 교각살우

14 아이의 나쁜 버릇을 고치려다가 반항심만 더 커져서 큰일이다.   •   • ㉡ 오비이락

15 컴퓨터를 쓰는데 갑자기 꺼져서, 내가 컴퓨터를 고장 냈다는 의심을 받았다.   •   • ㉢ 진퇴양난

걸린 시간   분   맞은 개수   개

15회 어휘력 테스트

1-3 다음 뜻풀이에 알맞은 낱말을 **보기**에서 찾아 쓰세요.

> **보기**
> 발전   위급   유포   유배

1 전기를 일으킴. ( )

2 몹시 위태롭고 급함. ( )

3 세상에 널리 퍼짐. 또는 세상에 널리 퍼뜨림.
( )

4-5 밑줄 친 낱말이 다음과 같은 뜻으로 쓰인 문장의 기호를 쓰세요.

4 경험, 기술, 업적, 지식 등을 거듭 익혀 많이 이루다.
㉠ 벽돌을 쌓아 벽을 만들었다.
㉡ 책을 읽으면 지식을 쌓을 수 있다.

5 일정한 뜻을 나타내기 위하여 따로 정하여 쓰는 기호.
㉠ 우리 도시의 부호가 마을에 투자를 하였다.
㉡ 수학에 사용되는 여러 가지 부호를 잘 익혀 두어야 한다.

6-8 다음 밑줄 친 부분과 의미가 통하는 관용어를 **보기**에서 찾아 기호를 쓰세요.

> **보기**
> ㉠ 뒤를 캐다   ㉡ 뒤가 켕기다
> ㉢ 뒤를 사리다   ㉣ 뒤로 물러나다

6 할아버지께서는 회사에서 은퇴하신 뒤에 시골에서 지내신다.

7 오빠는 어머니께 꾸중을 들을까 봐 조심하느라 장난감을 사지 못했다.

8 동생이 날마다 학교에서 조금씩 늦게 오는 까닭을 밝히려고 동생의 뒤를 쫓아가 보았다.

9-12 밑줄 친 낱말의 뜻풀이를 **보기**에서 찾아 기호를 쓰세요.

> **보기**
> ㉠ 보통의 것과 아주 다르다.
> ㉡ 물체의 그림자나 영상이 나타나 보이다.
> ㉢ 글이나 말, 곡선 등이 거침없이 미끈하고 아름답다.
> ㉣ 생물체처럼 전체를 구성하고 있는 각 부분이 서로 밀접하게 관련을 가지고 있어서 떼어 낼 수 없는.

9 유리창에 내 모습이 비쳤다. ( )

10 사람들은 서로 유기적 관계로 얽혀 있다.
( )

11 그 작가의 문장은 유려하여 감동을 준다.
( )

12 유별난 치장을 한 연예인에게 눈길이 쏠렸다.
( )

13-15 다음 뜻풀이에 알맞은 속담을 **보기**에서 찾아 기호를 쓰세요.

> **보기**
> ㉠ 울며 겨자 먹기
> ㉡ 목마른 놈이 우물 판다
> ㉢ 고기도 먹어 본 사람이 먹는다

13 싫은 일을 억지로 마지못하여 함을 이르는 말.
( )

14 무슨 일이든지 늘 하던 사람이 더 잘한다는 말.
( )

15 가장 급하고 일이 필요한 사람이 그 일을 서둘러 하게 되어 있다는 말. ( )

걸린 시간   분   맞은 개수   개

1-3 밑줄 친 낱말의 뜻풀이를 **보기** 에서 찾아 기호를 쓰세요.

> **보기**
> ㉠ 전혀 합당하지 아니하다.
> ㉡ 어떤 사실이나 주장에 근거를 두어 그 입장에 섬.
> ㉢ 과실이나 곡식 등이 알이 들어 딴딴하게 잘 익다.

1 곡식이 알차게 <u>여물었다.</u>

2 <u>얼토당토않은</u> 동생의 변명에 어이가 없었다.

3 인도주의 원칙에 <u>입각</u>하여 난민을 받아들이는 나라가 있다.

4-6 빈칸에 들어갈 알맞은 낱말을 **보기** 에서 찾아 쓰세요.

> **보기**
> 에돌아가서   여물어서   오싹   인위적

4 빈 집을 보니 (   )한 기분이 들었다.

5 반장은 일처리가 (   ) 항상 칭찬을 받았다.

6 (   )으로 만든 정원이라서 자연스러움이 부족했다.

7-9 다음 문장에서 알맞지 <u>않게</u> 쓰인 낱말에 밑줄을 긋고 알맞은 낱말로 고쳐 쓰세요.

7 살찐 논에서 벼가 잘 자라고 있다.

8 그는 이번 일에 대한 일절의 책임을 지겠다고 했다.

9 현아는 내 마음이 상하지 않도록 나의 부탁을 완고하게 거절했다.

10-12 다음 초성과 뜻풀이를 참고하여 빈칸에 들어갈 낱말을 쓰세요.

10 ㅇㅈ : 문서나 행위가 정당한 절차로 이루어졌다는 것을 공적 기관이 증명함.
→ 그 달걀은 1등급 (   )을/를 받았다.

11 ㅇㄹㄱㄹ하다: 생각이나 정신이 있다 없다 하다.
→ 잠을 못 잤더니 정신이 (   )하고 졸렸다.

12 ㅇㅅㅇㄱ다: 교만한 마음에서 남을 낮추어 보거나 하찮게 여기다.
→ 그는 자신을 (   )는 사람들을 생각하며 성공을 다짐했다.

13-14 밑줄 친 낱말과 바꾸어 쓸 수 있는 낱말을 **보기** 에서 찾아 쓰세요.

> **보기**
> 농작물   일화   자애

13 봉사자들의 모습에는 <u>자비</u>가 넘쳤다.

14 가을에는 여러 <u>작물</u>을 수확하느라 바쁘다.

15 **보기** 의 빈칸에 들어갈 낱말이 순서대로 짝 지어진 것은 무엇인가요?

> **보기**
> 1학년 때 선생님은 진심에서 (   ) 사랑으로 우리를 가르쳐 주셨다. 그래서 아직도 1학년 친구들은 선생님을 (   ) 따른다.

① 우러르는 – 우러르며   ② 우러나는 – 우러나며
③ 우러나는 – 우러르며   ④ 우러르는 – 우러나며

 걸린 시간   분   맞은 개수   개

1-3 다음 뜻풀이에 알맞은 낱말을 보기 에서 찾아 쓰세요.

> **보기**
> 일찌감치 장엄 재정 전용

1 조금 이르다고 할 정도로 얼른. (   )

2 개인, 가계, 기업 등의 경제 상태. (   )

3 남과 같이 쓰지 않고 혼자서만 쓰거나 한 가지 목적으로만 씀. (   )

4-6 빈칸에 공통으로 들어갈 낱말을 보기 에서 찾아 쓰세요.

> **보기**
> 우람 우려 우물쭈물 으스스

4 • 멸치를 (   ) 내어 찌개를 끓였다.
　 • 학생의 돈을 (   ) 내는 사기꾼이 있다.

5 • (   )하다가 기회를 놓쳤다.
　 • 동생은 (   )하며 대답을 못했다.

6 • 동굴 안은 (   )한 느낌이 들었다.
　 • 밖에 나서니 (   )한 바람이 얼굴을 스쳤다.

7-8 다음 초성과 뜻풀이를 참고하여 빈칸에 들어갈 낱말을 쓰세요.

7 ㅇ ㅂ ㅈ 하다: 도움이 되게 하다.
➜ 교장 선생님께서는 학교 발전에 (   )하셨다.

8 ㅇ ㄹ ㅂ ㄹ 하다: 몸집이 크고 얼굴이 험상궂게 생긴 데가 있다.
➜ 문구점 아저씨는 (   )하게 생겨서 아이들이 무서워했다.

9-12 다음 뜻풀이에 알맞은 한자 성어를 보기 에서 찾아 기호를 쓰세요.

> **보기**
> ㉠ 감탄고토 ㉡ 방약무인
> ㉢ 안하무인 ㉣ 토사구팽

9 필요할 때는 쓰고 필요 없을 때는 야박하게 버리는 경우를 이르는 말. (   )

10 곁에 사람이 없는 것처럼 아무 거리낌 없이 함부로 말하고 행동하는 태도가 있음. (   )

11 눈 아래에 사람이 없다는 뜻으로, 방자하고 교만하여 다른 사람을 업신여김을 이르는 말.
(   )

12 달면 삼키고 쓰면 뱉는다는 뜻으로, 자신의 비위에 따라서 사리의 옳고 그름을 판단함을 이르는 말. (   )

13-15 다음 상황을 표현하기에 알맞은 한자 성어를 찾아 바르게 선으로 이으세요.

13 내 짝은 부끄러운 줄도 모르고 오늘도 지각을 했다. • 　 • ㉠ 가렴주구

14 임금이 혹독하게 세금을 거두어 백성들이 고통받았다. • 　 • ㉡ 오만불손

15 우수상을 받은 지수의 거만한 행동이 눈살을 찌푸리게 한다. • 　 • ㉢ 후안무치

걸린 시간 　　　　 분　맞은 개수 　　　　 개

1-3 다음 뜻풀이에 알맞은 낱말을 보기 에서 찾아 쓰세요.

> 보기   인상   정착   제정   조성

1 분위기나 정세 등을 만듦.   (   )

2 물건값, 봉급, 요금 등을 올림.   (   )

3 일정한 곳에 자리를 잡아 붙박이로 있거나 머물러 삶.   (   )

4-5 밑줄 친 낱말이 다음과 같은 뜻으로 쓰인 문장의 기호를 쓰세요.

4 길을 떠나다.

ㄱ 여행 길에 오르니 기분이 좋았다.

ㄴ 그는 벼슬길에 오르지 않고 학문을 연구했다.

5 거저 주는 것을 받아 가지다.

ㄱ 친구에게 얻은 장난감이 참 재미있다.

ㄴ 어머니의 말씀에 힘을 얻어 다시 한번 자전거 타기에 도전해 보았다.

6-8 다음 밑줄 친 부분과 의미가 통하는 관용어를 보기 에서 찾아 기호를 쓰세요.

> 보기   ㄱ 머리를 쓰다   ㄴ 머리에 맴돌다
>   ㄷ 머리를 식히다   ㄹ 머리에 쥐가 나다

6 수학 문제를 계속 풀었더니 더 풀기가 싫어졌다.

7 이 사건의 해결 방법을 깊게 고민하여 이번 위기를 넘겨 보자.

8 감명 깊게 읽은 시의 구절이 머리에 오랫동안 남아 있다.

9-12 밑줄 친 낱말의 뜻풀이를 보기 에서 찾아 기호를 쓰세요.

> 보기   ㄱ 돈을 빌리다.
>   ㄴ 전하여 널리 퍼뜨림.
>   ㄷ 어떠한 일을 하는 데에 사용하는 도구.
>   ㄹ 국가의 의사를 최종적으로 결정하는 권력.

9 나라의 주권은 국민에게 있다.   (   )

10 은행의 돈을 얻어 집을 구입했다.   (   )

11 책상을 고치는 데에는 연장이 필요하다.   (   )

12 발명가의 발명품이 전 세계에 전파되어 사람들의 생활을 편리하게 했다.   (   )

13-15 다음 뜻풀이에 알맞은 속담을 보기 에서 찾아 기호를 쓰세요.

> 보기   ㄱ 믿는 도끼에 발등 찍힌다
>   ㄴ 굴러온 돌이 박힌 돌 뺀다
>   ㄷ 눈 감으면 코 베어 갈 세상

13 믿고 있던 사람이 배반하여 오히려 해를 입음을 이르는 말.   (   )

14 눈을 멀쩡히 뜨고 있어도 코를 베어 갈 만큼 세상인심이 고약하다는 말.   (   )

15 들어온 지 얼마 안 되는 사람이 오래전부터 있던 사람을 내쫓거나 해치려 함을 이르는 말.   (   )

 걸린 시간   분   맞은 개수   개

1-3 밑줄 친 낱말의 뜻풀이를 **보기** 에서 찾아 기호를 쓰세요.

> **보기**
> ㉠ 어떤 일이 생길 기미.
> ㉡ 보폭이 짧고 빠른 걸음.
> ㉢ 땅의 생긴 모양이나 형세.

1 지형이 완만해서 등산하기 좋았다.

2 개미가 떼지어 움직이면 지진이 날 징조이다.

3 그는 다리는 짧았지만 잰걸음으로 빨리 학교에 도착했다.

4-6 빈칸에 들어갈 알맞은 낱말을 **보기** 에서 찾아 쓰세요.

> **보기**
> 자근대었다   자욱하였다
> 조아렸다   쥐어짰다

4 신하들이 임금에게 머리를 (   ).

5 동생은 꾸중들을까 봐 눈물을 (   ).

6 심심한지 우영이는 신발로 교실 바닥을 자꾸만 (   ).

7-9 다음 문장에서 알맞지 않게 쓰인 낱말에 밑줄을 긋고 알맞은 낱말로 고쳐 쓰세요.

7 흥부네 식구들은 쌀이 없어서 배를 줄였다.

8 동물의 약이 사람에게 똑같이 적응되지 않는다.

9 나를 따라오던 친구들을 모두 젖히고 내가 달리기 우승을 했다.

10-12 다음 초성과 뜻풀이를 참고하여 빈칸에 들어갈 낱말을 쓰세요.

10 ㅈㅁㅈㅁ하다: 닥쳐올 일에 대하여 염려가 되어 마음이 불안하다.
→ 나는 시험에 떨어질까 (   )하다.

11 ㅈㅌㄹ: 어떤 기준에 미치지 못할 정도로 작거나 적은 조각.
→ (   ) 천이라도 버리지 말고 모아 두면 조각이불을 만들 수 있다.

12 ㅈㅎ: 서로 다른 성질을 가진 것이 섞여 각각의 성질을 잃거나 그 중간의 성질을 띠게 함.
→ 이 지역은 서양과 동양 문화가 (   )되어 발전되었다.

13-14 밑줄 친 낱말과 바꾸어 쓸 수 있는 낱말을 **보기** 에서 찾아 쓰세요.

> **보기**
> 수렁   유지   지원

13 대기 시간이 지속되자 점점 지루해졌다.

14 비가 내려서 생긴 진창에 자동차 바퀴가 빠졌다.

15 **보기** 의 빈칸에 들어갈 낱말이 순서대로 짝 지어진 것은 무엇인가요?

> **보기** 우리가 (   )하는 것은 서로를 사랑하는 것이다. 그래서 나와 다른 생각을 가진 사람을 무조건 피하는 자세는 (   )해야 한다.

① 지향 – 지향   ② 지양 – 지양
③ 지향 – 지양   ④ 지양 – 지향

걸린 시간   분   맞은 개수   개

1-3 다음 뜻풀이에 알맞은 낱말을 [보기]에서 찾아 쓰세요.

> [보기] 쩔쩔매다 측정 채택 큰코다치다

1 크게 봉변을 당하거나 무안을 당하다.
( )

2 어찌할 줄 몰라서 정신을 못 차리고 헤매다.
( )

3 일정한 양을 기준으로 하여 같은 종류의 다른 양의 크기를 잼.
( )

4-6 빈칸에 공통으로 들어갈 낱말을 [보기]에서 찾아 쓰세요.

> [보기] 추스르고 치닫고 철렁했다 치밀했다

4
• 선생님은 성격이 꼼꼼하고 ( ).
• 그 기술자는 일처리가 빠르고 ( ).

5
• 항아리에 돌을 던지자 물이 ( ).
• 창 밖에서 큰 소리가 나서 가슴이 ( ).

6
• 아픈 몸을 ( ) 학교에 갔다.
• 경기에 져서 분한 마음을 ( ) 다시 한번 승리에 도전했다.

7-8 다음 초성과 뜻풀이를 참고하여 빈칸에 들어갈 낱말을 쓰세요.

7 ㅊㅈ : 맑고 깨끗함.
➜ ( ) 지역에서 나는 생수라서 맛이 좋다.

8 ㅌㅅㄹ하다: 수염이나 머리털이 어수선하거나 더부룩하다.
➜ 할아버지께서는 한동안 아프셔서 일어나지 못하시는 바람에 수염이 ( )해지셨다.

9-12 다음 뜻풀이에 알맞은 한자 성어를 [보기]에서 찾아 기호를 쓰세요.

> [보기]
> ㉠ 순망치한   ㉡ 십시일반
> ㉢ 오월동주   ㉣ 오십보백보

9 여러 사람이 조금씩 힘을 합하면 한 사람을 돕기 쉬움을 이르는 말. ( )

10 조금 낫고 못한 정도의 차이는 있으나 본질적으로는 차이가 없음을 이르는 말. ( )

11 서로 적의를 품은 사람들이 한자리에 있게 된 경우나 서로 협력하여야 하는 상황을 이르는 말.
( )

12 입술이 없으면 이가 시리다는 뜻으로, 어느 한쪽이 망하면 다른 한쪽도 그 영향을 받아 온전하기 어려움을 이르는 말. ( )

13-15 다음 상황을 표현하기에 알맞은 한자 성어를 찾아 바르게 선으로 이으세요.

13 현주와 지희의 미술 실력은 서로 비슷했다.   •   • ㉠ 고장난명

14 피구에서 나 혼자만 살아남아 우리 팀이 이기기 힘들었다.   •   • ㉡ 동고동락

15 동생과 나는 어려서부터 힘든 일과 즐거운 일을 함께 겪었다.   •   • ㉢ 대동소이

걸린 시간 ( ) 분   맞은 개수 ( ) 개

1-3 다음 뜻풀이에 알맞은 낱말을 **보기**에서 찾아 쓰세요.

보기
| 태동   통학   투쟁   파견 |

1 어떤 일이 생기려는 기운이 싹틈. (　　　)

2 자기 집이나 유숙하는 집에서 학교까지 다님. (　　　)

3 단체나 개인 등이 어떤 목적을 이루거나 상대편을 극복하기 위하여 힘쓰거나 싸움. (　　　)

4-5 밑줄 친 낱말이 다음과 같은 뜻으로 쓰인 문장의 기호를 쓰세요.

4 생물이 생명의 기원 이후부터 점차 변해 가는 현상.
㉠ 인간은 점점 진화되어 발달했다.
㉡ 화재 진화를 위해 소방차가 출동하였다.

5 달려 있는 것, 붙어 있는 것이 떨어지게 흔들거나 치거나 하다.
㉠ 아픈 추억을 털어 새롭게 출발하자.
㉡ 밤나무를 털었더니 밤이 후드득 떨어졌다.

6-8 다음 밑줄 친 부분과 의미가 통하는 관용어를 **보기**에서 찾아 기호를 쓰세요.

보기
| ㉠ 손이 크다　　㉡ 손에 익다 |
| ㉢ 손을 씻다　　㉣ 손을 벌리다 |

6 할머니께서 이웃 사람들에게 만두를 많이 나누어 주셨다.

7 종이접기가 익숙해서 종이비행기를 빨리 만든다.

8 그는 어두운 과거를 벗어나 새로운 삶을 시작했다.

9-12 밑줄 친 낱말의 뜻풀이를 **보기**에서 찾아 기호를 쓰세요.

보기
㉠ 아끼어 줄임.
㉡ 어떤 곳으로 이어지다.
㉢ 일정한 임무를 주어 사람을 보냄.
㉣ 드러나지 않은 사물이나 현상 등을 찾아내거나 밝히기 위하여 살피어 찾음.

9 이 골목과 저 골목은 서로 통해 있다. (　　　)

10 아빠께서 외국으로 파견을 나가셨다. (　　　)

11 우주를 탐색하려고 인공위성을 우주로 보냈다. (　　　)

12 에너지 절감을 위해 에너지 효율이 높은 가전제품을 사용해야 한다. (　　　)

13-15 다음 뜻풀이에 알맞은 속담을 **보기**에서 찾아 기호를 쓰세요.

보기
㉠ 공든 탑이 무너지랴
㉡ 흐르는 물은 썩지 않는다
㉢ 우물을 파도 한 우물을 파라

13 어떠한 일이든 한 가지 일을 끝까지 하여야 성공할 수 있다는 말. (　　　)

14 힘을 다하고 정성을 다하여 한 일은 그 결과가 헛되지 아니함을 이르는 말. (　　　)

15 사람은 언제나 공부하며 단련하여야 시대에 뒤떨어지지 아니하고 또 변질되지 아니함을 이르는 말. (　　　)

걸린 시간 　　분　　맞은 개수 　　개

1-3 밑줄 친 낱말의 뜻풀이를 **보기**에서 찾아 기호를 쓰세요.

> **보기**
> ㉠ 깊이 스며들다.
> ㉡ 모자람이 없이 넉넉하다.
> ㉢ 권리, 의무, 자격 등이 차별 없이 고르고 한결같음.

1 사람은 태어날 때부터 평등하다.

2 옷깃을 파고드는 찬바람이 매서웠다.

3 할머니께서는 마음이 푼푼하여 음식을 잘 나누신다.

4-6 빈칸에 들어갈 알맞은 낱말을 **보기**에서 찾아 쓰세요.

> **보기**
> 편입   포착   폭염   항암

4 심판은 상대편의 반칙을 금세 (   )했다.

5 누나는 다른 대학교로 (   )하기 위해 열심히 공부했다.

6 한여름의 (   )을 이기지 못하고 꽃들이 시들었다.

7-9 다음 문장에서 알맞지 않게 쓰인 낱말에 밑줄을 긋고 알맞은 낱말로 고쳐 쓰세요.

7 한창 기다려도 친구는 오지 않았다.

8 축척된 기술로 우리나라 회사는 더욱 발전했다.

9 뒤에 오던 차가 우리 차를 갑자기 초월해서 깜짝 놀랐다.

10-12 다음 초성과 뜻풀이를 참고하여 빈칸에 들어갈 낱말을 쓰세요.

10 ㅎㄴㅈ : 하룻낮의 반.
→ (   ) 동안 운동했더니 너무 힘들었다.

11 ㅍㅈ : 맞대어 놓고 언짢게 꾸짖거나 비꼬아 꾸짖는 일.
→ 형이 과자를 너무 많이 먹는다고 (   ) 을/를 주었다.

12 ㅍㅈ : 시나 글, 노래 등을 지을 때에 남의 작품의 일부를 몰래 따다 씀.
→ 다른 작곡가의 노래를 (   )하는 것은 법을 어기는 것이다.

13-14 밑줄 친 낱말과 바꾸어 쓸 수 있는 낱말을 **보기**에서 찾아 쓰세요.

> **보기**
> 종자   차별   한차례

13 한바탕 친구들과 놀았더니 기분이 좋았다.

14 버섯 품종 개발로 맛있는 버섯을 먹을 수 있다.

15 **보기**의 빈칸에 들어갈 낱말이 순서대로 짝 지어진 것은 무엇인가요?

> **보기**
> 전학 간 친구와 (   ) 때 주고받았던 장갑을 올겨울에도 끼었다. 장갑을 너무 오래 사용했는지 장갑이 (   ) 한다.

① 헤어질 – 해어지려고   ② 해어질 – 해어지려고
③ 헤어질 – 헤어지려고   ④ 해어질 – 헤어지려고

 걸린 시간 (   ) 분 맞은 개수 (   ) 개

1-3 다음 뜻풀이에 알맞은 낱말을 보기 에서 찾아 쓰세요.

보기　　행성　　허둥지둥　　협약　　호들갑

1 경망스럽고 야단스러운 말이나 행동.
　　　　　　　　　　　　　　　　(　　　　　)

2 정신을 차릴 수 없을 만큼 갈팡질팡하며 다급하게 서두르는 모양.　　　　　　(　　　　　)

3 중심이 되는 별의 둘레를 궤도에 따라 돌면서, 자신은 빛을 내지 못하는 천체.　(　　　　　)

4-6 빈칸에 공통으로 들어갈 낱말을 보기 에서 찾아 쓰세요.

보기　　허황한　　험난한　　헛걸음　　호령

4　•(　　　　　) 계곡을 조심히 건넜다.
　　•(　　　　　) 세상이지만 따뜻한 인정이 있다.

5　•할아버지의 (　　　　)에 강아지가 낑낑거렸다.
　　•대장의 (　　　　)에 군인들이 발을 맞추었다.

6　•아무도 없는 빈 집에 (　　　　)을/를 했다.
　　•문구점에 준비물이 없어서 (　　　　)을/를 했다.

7-8 다음 초성과 뜻풀이를 참고하여 빈칸에 들어갈 낱말을 쓰세요.

7　ㅎ ㅆ 하다: 얼굴에 핏기가 없고 파리하다.
　　➜ 오랜 병으로 얼굴이 (　　　　)해졌다.

8　ㅎ ㄱ ㅅ : 새롭고 신기한 것을 좋아하거나 모르는 것을 알고 싶어 하는 마음.
　　➜ 장난꾸러기 동생은 유난히 (　　　　)이/가 많아서 사고를 자주 쳤다.

9-12 다음 뜻풀이에 알맞은 한자 성어를 보기 에서 찾아 기호를 쓰세요.

보기　ㄱ 견강부회　　ㄴ 백년가약
　　　ㄷ 촌철살인　　ㄹ 언어도단

9 이치에 맞지 않는 말을 억지로 끌어 붙여 자기에게 유리하게 함.　　　　　　(　　　　　)

10 간단한 말로도 남을 감동하게 하거나 남의 약점을 찌를 수 있음을 이르는 말.　(　　　　　)

11 젊은 남녀가 부부가 되어 평생을 같이 지낼 것을 굳게 다짐하는 아름다운 언약.　(　　　　　)

12 말할 길이 끊어졌다는 뜻으로, 어이가 없어서 말하려 해도 말할 수 없음을 이르는 말. (　　　　　)

13-15 다음 상황을 표현하기에 알맞은 한자 성어를 찾아 바르게 선으로 이으세요.

13 엄마와 아빠는 서로를 아끼고 사랑하신다.　•
　　　　　　　　　　　•ㄱ 금슬지락

14 할머니와 할아버지는 오랜 세월을 함께하셨다.　•
　　　　　　　　　　　•ㄴ 백년해로

15 세희는 선거 유세에서 똑같은 말을 자꾸 반복해서 반장 선거에서 떨어졌다.　•
　　　　　　　　　　　•ㄷ 중언부언

걸린 시간　　　　분　맞은 개수　　　　개

1-3 다음 뜻풀이에 알맞은 낱말을 보기에서 찾아 쓰세요.

> 보기   파장   혼절   회담   훼방

1 정신이 아찔하여 까무러침. ( )

2 여러 사람이 모여 벌이던 판이 거의 끝남. 또는 그 무렵. ( )

3 어떤 문제를 가지고 관련된 사람들이 한자리에 모여서 토의함. ( )

4-5 밑줄 친 낱말이 다음과 같은 뜻으로 쓰인 문장의 기호를 쓰세요.

4 어떤 것을 알아내거나 밝히기 위하여 몹시 노력하다.

ㄱ 땅을 파서 나무를 심었다.
ㄴ 이번 시험의 실수 원인을 파 보았다.

5 고향을 그리워하는 마음이나 시름.

ㄱ 어머니께 좋은 향수 냄새가 났다.
ㄴ 향수에 젖어 어릴 적 살던 동네에 가 보았다.

6-8 다음 밑줄 친 부분과 의미가 통하는 관용어를 보기에서 찾아 기호를 쓰세요.

> 보기 ㄱ 입이 닳다   ㄴ 입만 아프다
>   ㄷ 입을 모으다   ㄹ 입에 거미줄 치다

6 경주 최 부자를 마을 사람들은 모두 칭찬했다.

7 어머니께서 집에 돌아오면 손을 씻으라고 늘 말씀하신다.

8 장발장은 너무 오랫동안 음식을 먹지 못해서 빵을 훔쳤다.

9-12 밑줄 친 낱말의 뜻풀이를 보기에서 찾아 기호를 쓰세요.

> 보기 ㄱ 화목하고 평온함.
>   ㄴ 성질이 악하고 모짊.
>   ㄷ 기운이나 상태가 겉으로 드러나다.
>   ㄹ 일의 좋은 보람. 또는 어떤 작용의 결과.

9 운동장에 생기 있는 기운이 흘렀다. ( )

10 약의 효험이 좋았는지 감기가 금방 나았다. ( )

11 전쟁이 끝나고 농사도 잘되어 백성들은 화평하였다. ( )

12 흉악한 범죄가 마을에서 일어나서 마을 사람들이 공포에 떨었다. ( )

13-15 다음 뜻풀이에 알맞은 속담을 보기에서 찾아 기호를 쓰세요.

> 보기 ㄱ 병 주고 약 준다
>   ㄴ 닭 잡아먹고 오리 발 내놓기
>   ㄷ 간에 붙었다 쓸개에 붙었다 한다

13 자기에게 이익이 되면 이편에 붙었다 저편에 붙었다 함을 이르는 말. ( )

14 옳지 못한 일을 저질러 놓고 엉뚱한 수작으로 속여 넘기려 하는 일을 이르는 말. ( )

15 남을 해치고 나서 약을 주며 그를 구원하는 체한다는 뜻으로, 교활하고 음흉한 자의 행동을 이르는 말. ( )

걸린 시간   분   맞은 개수   개

MEMO

정답과
해설

확인 학습 정답

01회

교과 어휘 – 한자어 ▶ 본문 9쪽

1 ㉢	2 ㉠	3 ㉡	4 강하고
5 간절하고	6 이어	7 검출	8 간척
9 억압	10 감동		

교과 어휘 – 고유어 ▶ 본문 11쪽

1 구성지다	2 거무튀튀하다		3 거침없다
4 ㉢	5 ㉠	6 ㉡	7 ㉢
8 ㉡	9 ㉠	10 ㉠	

심화 어휘 – 헷갈리기 쉬운 낱말 ▶ 본문 13쪽

1 ㉡	2 ㉠	3 ㉢	4 계량
5 개량	6 겉잡아	7 게시	8 개발
9 개시 → 게시		10 겉잡을 → 걷잡을	

02회

교과 어휘 – 한자어 ▶ 본문 15쪽

1 고갈	2 경지	3 고소	4 ㉢
5 ㉡	6 ㉠	7 ㉢	8 ㉠
9 ㉡	10 ㉠		

교과 어휘 – 고유어 ▶ 본문 17쪽

1 ㉡	2 ㉠	3 ㉢	4 눈치
5 해	6 아주	7 꾸부정한	8 까무러치는
9 강건하고	10 휘날리고		

심화 어휘 – 주제별 한자 성어 ▶ 본문 19쪽

1 ㉡	2 ㉠	3 ㉢	4 복종
5 고침	6 조령모개	7 부화뇌동	8 양두구육
9 ⑤			

03회

교과 어휘 – 한자어 ▶ 본문 21쪽

1 ㉠	2 ㉢	3 ㉡	4 인정된
5 식물	6 생각하는	7 관할	8 공감
9 관점	10 고적		

교과 어휘 – 다의어·동음이의어 ▶ 본문 23쪽

1 ㉡	2 ㉡	3 ㉢	4 ㉡
5 ㉠	6 급하고	7 감상하고	8 ㉡
9 ㉠			

심화 어휘 – 주제별 속담·관용어 ▶ 본문 25쪽

1 ㉠	2 ㉢	3 ㉡	4 ㉡
5 ㉠	6 강산	7 땅	
8 크지, 기별, 서늘했다			

04회

교과 어휘 – 한자어 ▶ 본문 27쪽

1 ㉡	2 ㉠	3 ㉢	4 이바지함
5 공통적인	6 서로	7 기원	8 기권
9 굴절	10 ②		

교과 어휘 – 고유어 ▶ 본문 29쪽

1 느긋하다	2 노여워하다	3 다소곳하다	4 ㉢
5 ㉡	6 ㉠	7 ㉢	8 ㉡
9 ㉠	10 ㉡		

심화 어휘 – 헷갈리기 쉬운 낱말 ▶ 본문 31쪽

1 ㉢	2 ㉠	3 ㉡	4 겨누고
5 굳히고	6 겨루고	7 결제	8 깃들고
9 겨누는 → 겨루는		10 결제 → 결재	

05회

교과 어휘 - 한자어　　　　　　　　▶ 본문 33쪽

1 ㉢	2 ㉠	3 ㉡	4 치르는
5 세금	6 나라	7 단청	8 난청
9 납부	10 달성		

교과 어휘 - 고유어　　　　　　　　▶ 본문 35쪽

1 둘러싸다	2 들썩이다	3 덩달다	4 ㉡
5 ㉢	6 ㉠	7 ㉡	8 ㉢
9 ㉠	10 ㉠		

심화 어휘 - 주제별 한자 성어　　　　▶ 본문 37쪽

1 ㉢	2 ㉡	3 ㉠	4 속마음
5 인재	6 지란지교	7 문경지교	8 재자가인
9 ⑤			

06회

교과 어휘 - 한자어　　　　　　　　▶ 본문 39쪽

1 ㉢	2 ㉠	3 ㉡	4 넓고
5 이어져	6 없던	7 망각	8 동원
9 계통	10 해양		

교과 어휘 - 다의어·동음이의어　　▶ 본문 41쪽

1 ㉠	2 ㉡	3 ㉢	4 ㉠
5 ㉡	6 늘어서	7 기상	8 ㉠
9 ㉡			

심화 어휘 - 주제별 속담·관용어　　▶ 본문 43쪽

1 ㉢	2 ㉡	3 ㉠	4 ㉠
5 ㉢	6 새우	7 배	
8 따갑게, 맴돌아서			

07회

교과 어휘 - 한자어　　　　　　　　▶ 본문 45쪽

1 ㉢	2 ㉠	3 ㉡	4 종류
5 절반	6 무참	7 무분별	8 반응
9 문명	10 모략		

교과 어휘 - 고유어　　　　　　　　▶ 본문 47쪽

1 멀찌감치	2 떼굴떼굴	3 목청껏	4 ㉢
5 ㉠	6 ㉡	7 ㉠	8 ㉢
9 ㉡	10 ②		

심화 어휘 - 헷갈리기 쉬운 낱말　　▶ 본문 49쪽

1 ㉠	2 ㉢	3 ㉡	4 묻히고
5 무치고	6 맞추고	7 등살	8 막연한
9 등살 → 등쌀		10 맞춰서 → 맞혀서	

08회

교과 어휘 - 한자어　　　　　　　　▶ 본문 51쪽

1 ㉢	2 ㉡	3 ㉠	4 늘어서
5 모든	6 관련된	7 변환	8 방임
9 방임	10 발령		

교과 어휘 - 고유어　　　　　　　　▶ 본문 53쪽

1 미어지다	2 반들거리다	3 무너뜨리다	4 ㉡
5 ㉢	6 ㉠	7 ㉡	8 ㉢
9 ㉠	10 ②		

심화 어휘 - 주제별 한자 성어　　　▶ 본문 55쪽

1 ㉢	2 ㉠	3 ㉡	4 신중
5 어려움	6 은인자중	7 천신만고	8 고군분투
9 ③			

정답

09회

교과 어휘 – 한자어 ▶ 본문 57쪽

1 ㉡	2 ㉢	3 ㉠	4 흩어져
5 부담하게	6 바른	7 분담	8 분쟁
9 분쟁	10 분별		

교과 어휘 – 다의어·동음이의어 ▶ 본문 59쪽

1 ㉡	2 ㉢	3 ㉡	4 ㉠
5 ㉢	6 대비하고	7 당기고	8 ㉡
9 ㉠			

심화 어휘 – 주제별 속담·관용어 ▶ 본문 61쪽

1 ㉡	2 ㉢	3 ㉠	4 ㉡
5 ㉢	6 입	7 다르고	
8 밟혔다, 야무지다, 깨라			

10회

교과 어휘 – 한자어 ▶ 본문 63쪽

1 ㉡	2 ㉠	3 ㉢	4 쓸쓸하고
5 사명	6 얼고	7 상호	8 상봉
9 비속어	10 ㉡		

교과 어휘 – 고유어 ▶ 본문 65쪽

1 비아냥대다	2 보잘것없다	3 북돋우다	4 ㉡
5 ㉠	6 ㉢	7 ㉢	8 ㉠
9 ㉡	10 ㉡		

심화 어휘 – 헷갈리기 쉬운 낱말 ▶ 본문 67쪽

1 ㉢	2 ㉡	3 ㉠	4 보완
5 발견	6 보안	7 배출	8 받치고
9 발견 → 발명		10 받쳐 → 바쳐	

11회

교과 어휘 – 한자어 ▶ 본문 69쪽

1 ㉢	2 ㉡	3 ㉠	4 양분
5 사회	6 떳떳하지	7 순환	8 선입견
9 소탕	10 신념		

교과 어휘 – 고유어 ▶ 본문 71쪽

1 섣부르다	2 서성거리다	3 사부작대다	4 ㉡
5 ㉠	6 ㉢	7 ㉠	8 ㉢
9 ㉡	10 ③		

심화 어휘 – 주제별 한자 성어 ▶ 본문 73쪽

1 ㉢	2 ㉡	3 ㉠	4 분하여
5 뼈	6 천인공노	7 절치부심	8 반면교사
9 ⑤			

12회

교과 어휘 – 한자어 ▶ 본문 75쪽

1 ㉡	2 ㉢	3 ㉠	4 조심스럽다
5 깊고	6 혼란	7 양분	8 안건
9 악평	10 실태		

교과 어휘 – 다의어·동음이의어 ▶ 본문 77쪽

1 ㉠	2 ㉡	3 ㉢	4 ㉠
5 ㉡	6 벗어나서	7 동향	8 ㉡
9 ㉠			

심화 어휘 – 주제별 속담·관용어 ▶ 본문 79쪽

1 ㉡	2 ㉠	3 ㉢	4 ㉠
5 ㉢	6 백지장	7 이웃	
8 앞섰다, 깜짝 안 하고			

13회

교과 어휘 – 한자어
▶ 본문 81쪽

1 ㉡	2 ㉢	3 ㉠	4 육지
5 더운	6 바다	7 영구	8 열대
9 열중	10 역량		

교과 어휘 – 고유어
▶ 본문 83쪽

1 수그리다	2 싱그럽다	3 시무룩하다	4 ㉢
5 ㉣	6 ㉡	7 ㉠	8 ㉢
9 ㉡	10 ㉠		

심화 어휘 – 헷갈리기 쉬운 낱말
▶ 본문 85쪽

1 ㉡	2 ㉢	3 ㉠	4 비겨서
5 비켜서	6 부수고	7 붙이고	8 부축하고
9 부수라고 → 부시라고		10 붙인 → 부친	

14회

교과 어휘 – 한자어
▶ 본문 87쪽

1 ㉢	2 ㉡	3 ㉠	4 거대
5 온순	6 정제	7 완비	8 온화
9 외형	10 웅장		

교과 어휘 – 고유어
▶ 본문 89쪽

1 얼싸안다	2 애꿎다	3 아련하다	4 ㉡
5 ㉠	6 ㉢	7 ㉢	8 ㉡
9 ㉠	10 ①		

심화 어휘 – 주제별 한자 성어
▶ 본문 91쪽

1 ㉡	2 ㉢	3 ㉠	4 꼼짝할
5 자기	6 청천벽력	7 아전인수	8 계란유골
9 ⑤			

15회

교과 어휘 – 한자어
▶ 본문 93쪽

1 ㉠	2 ㉢	3 ㉡	4 다르다
5 적용	6 미끈하고	7 유기적	8 위급
9 응용	10 위급		

교과 어휘 – 다의어·동음이의어
▶ 본문 95쪽

1 ㉠	2 ㉠	3 ㉡	4 ㉠
5 ㉢	6 부호	7 쌓고	8 ㉠
9 ㉡			

심화 어휘 – 주제별 속담·관용어
▶ 본문 97쪽

1 ㉡	2 ㉠	3 ㉢	4 ㉠
5 ㉢	6 우물	7 고기	
8 켕기는지, 캐기로			

16회

교과 어휘 – 한자어
▶ 본문 99쪽

1 ㉠	2 ㉢	3 ㉡	4 있는
5 가엾게	6 사람	7 자전	8 입각
9 인증	10 ⑤		

교과 어휘 – 고유어
▶ 본문 101쪽

1 오죽하다	2 에돌아가다	3 오싹하다	4 ㉠
5 ㉢	6 ㉡	7 ㉢	8 ㉡
9 ㉠	10 ㉠		

심화 어휘 – 헷갈리기 쉬운 낱말
▶ 본문 103쪽

1 ㉠	2 ㉢	3 ㉡	4 살찌고
5 살지고	6 완곡하고	7 우러나는	8 일절
9 일절 → 일체		10 완곡하신 → 완고하신	

확인 학습 정답

17회

교과 어휘 – 한자어
▶ 본문 105쪽

1 ㉣	2 ㉠	3 ㉢	4 성질
5 피해	6 많아서	7 전용	8 재정
9 재질	10 ㉡		

교과 어휘 – 고유어
▶ 본문 107쪽

1 우람하다	2 윽박지르다	3 으스스하다	4 ㉢
5 ㉠	6 ㉡	7 ㉡	8 ㉢
9 ㉠	10 ㉡		

심화 어휘 – 주제별 한자 성어
▶ 본문 109쪽

1 ㉢	2 ㉡	3 ㉠	4 교만하여
5 버리는	6 방약무인	7 토사구팽	8 감탄고토
9 ⑤			

18회

교과 어휘 – 한자어
▶ 본문 111쪽

1 ㉢	2 ㉠	3 ㉡	4 퍼뜨림
5 법률	6 권력	7 조성	8 정착
9 주권	10 제정		

교과 어휘 – 다의어·동음이의어
▶ 본문 113쪽

1 ㉡	2 ㉡	3 ㉢	4 ㉡
5 ㉠	6 연장	7 얻게	8 ㉡
9 ㉠			

심화 어휘 – 주제별 속담·관용어
▶ 본문 115쪽

1 ㉡	2 ㉢	3 ㉠	4 ㉠
5 ㉡	6 코	7 도끼	
8 쥐가 나는, 식히고			

19회

교과 어휘 – 한자어
▶ 본문 117쪽

1 ㉢	2 ㉠	3 ㉡	4 생길
5 오래	6 새로운	7 징조	8 지형
9 중화	10 ②		

교과 어휘 – 고유어
▶ 본문 119쪽

1 자욱하다	2 자근대다	3 조아리다	4 ㉢
5 ㉡	6 ㉢	7 ㉢	8 ㉠
9 ㉡	10 ㉡		

심화 어휘 – 헷갈리기 쉬운 낱말
▶ 본문 121쪽

1 ㉡	2 ㉢	3 ㉠	4 제치고
5 주리는	6 젖히고	7 지향	8 적응
9 주리려고 → 줄이려고		10 지향하는 → 지양하는	

20회

교과 어휘 – 한자어
▶ 본문 123쪽

1 ㉢	2 ㉡	3 ㉠	4 자세
5 앞으로	6 맑고	7 측정	8 청정
9 추진	10 채택		

교과 어휘 – 고유어
▶ 본문 125쪽

1 치닫다	2 터무니없다	3 치대다	4 ㉠
5 ㉢	6 ㉡	7 ㉢	8 ㉡
9 ㉠	10 ㉠		

심화 어휘 – 주제별 한자 성어
▶ 본문 127쪽

1 ㉢	2 ㉠	3 ㉡	4 힘
5 차이	6 동고동락	7 대동소이	8 순망치한
9 ④			

21회

교과 어휘 - 한자어　　　　　　　　　　　▶ 본문 129쪽

1 ㉢	2 ㉠	3 ㉡	4 움직임
5 학교	6 체계	7 투쟁	8 태동
9 특색	10 탐색		

교과 어휘 - 다의어·동음이의어　　　　　▶ 본문 131쪽

1 ㉡	2 ㉠	3 ㉠	4 ㉢
5 ㉡	6 진화	7 털고	8 ㉡
9 ㉠			

심화 어휘 - 주제별 속담·관용어　　　　▶ 본문 133쪽

1 ㉠	2 ㉢	3 ㉡	4 ㉢
5 ㉠	6 우물	7 물	8 큰, 벌리는

22회

교과 어휘 - 한자어　　　　　　　　　　　▶ 본문 135쪽

1 ㉡	2 ㉢	3 ㉠	4 더위
5 억제	6 들어감	7 표절	8 평등
9 해양	10 폭염		

교과 어휘 - 고유어　　　　　　　　　　　▶ 본문 137쪽

1 퍼뜨리다	2 포개다	3 투박하다	4 ㉡
5 ㉠	6 ㉢	7 ㉡	8 ㉢
9 ㉠	10 ㉡		

심화 어휘 - 헷갈리기 쉬운 낱말　　　　　▶ 본문 139쪽

1 ㉡	2 ㉢	3 ㉠	4 초월
5 추월	6 축적	7 헤어지고	8 한창
9 축적 → 축척		10 한창 → 한참	

23회

교과 어휘 - 한자어　　　　　　　　　　　▶ 본문 141쪽

1 ㉢	2 ㉡	3 ㉠	4 황당하며
5 위험하고	6 지휘하여	7 호기심	8 행성
9 호령	10 협약		

교과 어휘 - 고유어　　　　　　　　　　　▶ 본문 143쪽

1 흐드러지다	2 헐떡대다	3 허물없다	4 ㉢
5 ㉡	6 ㉠	7 ㉠	8 ㉢
9 ㉡	10 ㉠		

심화 어휘 - 주제별 한자 성어　　　　　　▶ 본문 145쪽

1 ㉠	2 ㉢	3 ㉡	4 부부
5 자기	6 백년가약	7 중언부언	8 촌철살인
9 ③			

24회

교과 어휘 - 한자어　　　　　　　　　　　▶ 본문 147쪽

1 ㉡	2 ㉢	3 ㉠	4 악하고
5 아찔하여	6 보람	7 회담	8 화평
9 효험	10 훼방		

교과 어휘 - 다의어·동음이의어　　　　　▶ 본문 149쪽

1 ㉠	2 ㉠	3 ㉢	4 ㉡
5 ㉠	6 향수	7 파서	8 ㉡
9 ㉠			

심화 어휘 - 주제별 속담·관용어　　　　▶ 본문 151쪽

1 ㉡	2 ㉠	3 ㉢	4 ㉢
5 ㉡	6 약	7 쓸개	8 닳게, 아프지

01회

▶ 어휘력 테스트 2쪽

1 ⓒ	2 ㉠	3 ㉢	4 구성진
5 감명	6 간곡한	7 계발하여 → 개발하여	
8 걷잡아도 → 겉잡아도		9 계량하여 → 개량하여	
10 검출	11 곱씹	12 걷잡	13 장애물
14 대략적	15 ④		

4 '구성지다'는 '천연스럽고 구수하며 멋지다.'라는 뜻입니다.

6 '간곡하다'는 '태도나 자세가 간절하고 정성스럽다.'라는 뜻입니다.

8 '걷잡다'는 '잘못 진행되어 가는 기세를 바로잡다.'라는 뜻입니다. '겉으로 보고 대강 짐작하여 헤아리다.'라는 뜻을 가진 '겉잡아도'가 알맞습니다.

15 '게시'는 '여러 사람에게 알리기 위하여 내걸어 두루 보게 함.'이라는 뜻입니다. '개시'는 '행동이나 일 등을 시작함.'이라는 뜻입니다.

02회

▶ 어휘력 테스트 3쪽

1 꾸부정하다	2 까무러치다	3 경공업	4 그득
5 고갈	6 기껍게	7 경어	8 검토
9 ㉠	10 ⓒ	11 ㉢	12 ㉣
13 ⓒ	14 ㉢	15 ㉠	

4 '그득하다'는 '빈 데가 없을 만큼 사람이나 물건 등이 아주 많다.'라는 뜻입니다.

5 '고갈'은 '물이 말라서 없어짐.', '물자나 자금 등이 매우 귀해져서 달리거나 없어짐.'이라는 뜻입니다.

13 '조령모개'는 '아침에 명령을 내렸다가 저녁에 다시 고친다는 뜻으로, 법령을 자꾸 고쳐서 갈피를 잡기가 어려움.'이라는 뜻입니다. 학교 교칙이 자꾸 바뀌어 갈피를 잡기 어려운 상황을 잘 표현합니다.

14 '표리부동'은 '겉으로 드러나는 언행과 속으로 가지는 생각이 다름.'이라는 뜻입니다. 겉과 속이 다른 동생을 표현하기에 알맞습니다.

03회

▶ 어휘력 테스트 4쪽

1 고적	2 감상	3 공감	4 ⓒ
5 ⓒ	6 ㉠	7 ㉣	8 ⓒ
9 ⓒ	10 ㉠	11 ⓒ	12 ㉣
13 ⓒ	14 ㉠	15 ⓒ	

4 ㉠ '끊다'는 '이어진 것을 잘라 따로 떨어지게 하다.'라는 뜻입니다.

5 ㉠ '가정'은 '가족을 이루고 사는 사람들의 생활 공동체.'라는 뜻입니다.

6 '간이 크다'는 '겁이 없고 매우 대담하다.'라는 뜻의 관용어입니다.

7 '간에 기별도 안 가다'는 '먹은 것이 너무 적어 먹으나 마나 하다.'라는 뜻이므로 케이크를 조금 먹은 상황에 알맞습니다.

8 '간담이 서늘하다'는 '몹시 놀라서 섬뜩하다.'라는 뜻입니다.

04회

▶ 어휘력 테스트 5쪽

1 ⓒ	2 ⓒ	3 ㉠	4 기풍
5 다소곳	6 노여워	7 겨루었다 → 겨누었다	
8 결제 → 결재		9 굳혀서 → 굽혀서	
10 기원	11 널따랗	12 내리쬐	13 공헌
14 즉시	15 ①		

7 '겨루다'는 '서로 버티어 승부를 다투다.'라는 뜻입니다. '겨누다'는 '활이나 총을 쏠 때 목표물을 향해 방향과 거리를 잡다.'라는 뜻입니다.

9 '굳히다'는 '흔들리거나 바뀌지 않을 만큼 힘이나 뜻을 강하게 하다.'라는 뜻이므로 이 문장에 알맞지 않습니다. '뜻, 주장, 지조 등을 꺾고 남을 따르다.'라는 뜻을 가진 '굽혀서'가 알맞습니다.

15 '깃들다'는 '아늑하게 서려 들다.'라는 뜻이고, '깃들이다'는 '새나 짐승이 보금자리를 만들어 그 속에 들어 살다.'라는 뜻입니다.

05회
▶ 어휘력 테스트 6쪽

1 드높다	2 덥수룩하다	3 단청	4 둘러싸여
5 들썩이고	6 디디고	7 난청	8 된통
9 ㉠	10 ㉣	11 ㉡	12 ㉢
13 ㉢	14 ㉠	15 ㉢	

4 '둘러싸다'는 '둥글게 에워싸다.' 또는 '어떤 것을 행동이나 관심의 중심으로 삼다.'를 뜻하는 말입니다.

5 '들썩이다'는 '묵직한 물건이 떠들렸다 가라앉았다 하다.' 또는 '마음이 들떠서 움직이다.'를 뜻하는 말입니다.

14 '지음'은 '마음이 서로 통하는 친한 벗을 이르는 말.'이라는 뜻입니다. 친구와 나의 마음이 잘 통하는 상황에 어울리는 말입니다.

15 '지란지교'는 '벗 사이의 맑고도 고귀한 사귐을 이르는 말.'입니다. 어머니와 친구의 맑고 고귀한 우정을 잘 표현합니다.

06회
▶ 어휘력 테스트 7쪽

1 등재하다	2 막막하다	3 맥락	4 ㉠
5 ㉠	6 ㉡	7 ㉢	8 ㉠
9 ㉣	10 ㉢	11 ㉠	12 ㉡
13 ㉠	14 ㉢	15 ㉡	

4 ㉡ '기상'은 '바람, 구름, 비 등 대기 중에서 일어나는 모든 현상.'이라는 뜻입니다.

5 ㉡ '늘다'는 '재주나 능력 등이 나아지다.'라는 뜻입니다.

6 '귀에 익다'는 '들은 기억이 있다.'라는 뜻을 가진 말입니다.

7 '귀가 따갑다'는 '너무 여러 번 들어서 듣기가 싫다.'라는 뜻을 가진 말입니다. 어머니의 말씀을 반복해서 듣는 상황에 어울리는 말입니다.

8 '귀가 얇다'는 '남의 말을 쉽게 받아들인다.'라는 뜻을 가진 말입니다. 친구의 말을 따라 게임기를 사는 상황을 잘 표현합니다.

07회
▶ 어휘력 테스트 8쪽

1 ㉠	2 ㉢	3 ㉡	4 떼굴떼굴
5 목청껏	6 모종	7 묻히신 → 무치신	
8 등살 → 등쌀		9 막연한 → 막역한	
10 등살	11 말꼬리	12 반응	13 참혹한
14 몰지각한	15 ④		

7 '무치다'는 '나물 등에 갖은양념을 넣고 골고루 한데 뒤섞다.'라는 뜻입니다.

8 '등쌀'은 '몹시 귀찮게 구는 짓.'이라는 뜻입니다.

9 '막연하다'는 '뚜렷하지 못하고 어렴풋하다.'라는 뜻입니다. '허물이 없이 아주 친하다.'라는 뜻을 가진 '막역하다'가 알맞습니다.

15 '맞히다'는 '문제에 대한 답을 틀리지 않게 하다.'라는 뜻입니다. '맞추다'는 '둘 이상의 일정한 대상들을 나란히 놓고 비교하여 살피다.'라는 뜻입니다.

08회
▶ 어휘력 테스트 9쪽

1 무시무시하다		2 벌그데데하다	
3 벼르다	4 무너뜨렸다	5 미어졌다	6 바짝
7 변환	8 방임	9 ㉢	10 ㉠
11 ㉡	12 ㉣	13 ㉠	14 ㉡
15 ㉢			

5 '미어졌다'는 '가득 차서 터질 듯하다.' 또는 '가슴이 찢어질 듯이 심한 고통이나 슬픔을 느끼다.'입니다.

6 '바짝'은 '물기가 매우 마르거나 졸아붙거나 타 버리는 모양.' 또는 '매우 가까이 달라붙거나 세게 죄는 모양.'이라는 뜻입니다.

14 '두문불출'은 '집에만 있고 바깥출입을 아니함.'이라는 뜻입니다. 시험 공부를 하느라 집에 틀어박혀 있는 상황을 잘 표현하는 말입니다.

15 '반신반의'는 '얼마쯤 믿으면서도 한편으로는 의심함.'이라는 뜻입니다. 진행자의 말을 의심하는 상황을 잘 표현하는 말입니다.

09회
▶ 어휘력 테스트 10쪽

1 분담	2 당기다	3 떨어지다	4 ㉢
5 ㉠	6 ㉡	7 ㉣	8 ㉢
9 ㉠	10 ㉡	11 ㉢	12 ㉣
13 ㉡	14 ㉢	15 ㉠	

4 ㉠ '당기다'는 '정한 시간이나 기일을 앞으로 옮기거나 줄이다.'라는 뜻입니다.

5 ㉡ '대비'는 '앞으로 일어날지도 모르는 일에 대응하기 위하여 미리 준비함.'이라는 뜻입니다.

7 '꿈도 야무지다'는 '희망이 너무 커 실현 가능성이 없음을 비꼬아 이르는 말.'이라는 뜻입니다. 노력하지 않고 1등을 바라는 상황을 표현하기에 알맞습니다.

8 '꿈도 못 꾸다'는 '전혀 생각도 하지 못하다.'라는 뜻으로, 생일 선물에 대한 기대를 못했던 상황에 알맞은 표현입니다.

10회
▶ 어휘력 테스트 11쪽

1 ㉠	2 ㉡	3 ㉢	4 비꼬는
5 산산조각	6 삭막한	7 발명 → 발견	
8 받쳐 → 바쳐		9 보완 → 보안	
10 불끈	11 부쩍	12 사절	13 피차
14 격려하는	15 ③		

6 '삭막하다'는 '쓸쓸하고 막막하다.'라는 뜻입니다.

8 '받치다'는 '물건의 밑이나 옆 등에 다른 물체를 대다.'라는 뜻입니다. '무엇을 위하여 모든 것을 아낌없이 내놓거나 쓰다.'라는 뜻을 가진 '바치다'가 알맞습니다.

9 '보완'은 '모자라거나 부족한 것을 보충하여 완전하게 함.'이라는 뜻입니다. '안전을 유지함.'이라는 뜻을 가진 '보안'이 알맞습니다.

15 '배출'은 '안에서 밖으로 밀어 내보냄.'라는 뜻이고, '방출'은 '미리 모아 두거나 저축하여 놓은 것을 내놓음.'이라는 뜻입니다.

11회
▶ 어휘력 테스트 12쪽

1 섬기다	2 순환	3 선입견	4 살포시
5 뿔뿔이	6 선풍적	7 성글	8 뻐근
9 ㉡	10 ㉠	11 ㉢	12 ㉣
13 ㉡	14 ㉢	15 ㉠	

4 '살포시'는 '포근하게 살며시.'라는 뜻입니다.

6 '선풍적'은 '갑자기 일어나 사회에 큰 영향을 미치거나 관심의 대상이 될 만한 것.'이라는 뜻입니다.

14 '절치부심'은 '몹시 분하여 이를 갈며 속을 썩임.'입니다. 도둑으로 몰려 억울하고 분하여 속을 썩는 상황에 알맞습니다.

15 '반면교사'는 '부정적인 면에서 얻는 깨달음이나 가르침을 주는 대상을 이르는 말.'이라는 뜻입니다. 동생의 모습을 보고 깨닫는 모습을 잘 표현합니다.

12회
▶ 어휘력 테스트 13쪽

1 양분	2 안건	3 심각하다	4 ㉡
5 ㉡	6 ㉡	7 ㉠	8 ㉣
9 ㉠	10 ㉢	11 ㉡	12 ㉣
13 ㉠	14 ㉢	15 ㉡	

4 ㉠ '동향'은 '사람이나 일이 움직이거나 돌아가는 형세.'라는 뜻입니다.

5 ㉠ '벗어나다'는 '공간적 범위나 경계 밖으로 빠져나오다.'라는 뜻입니다.

6 '눈을 붙이다'는 '잠을 자다.'라는 뜻입니다. 어머니께서 잠깐 동안 주무신 것을 표현합니다.

7 '눈이 맞다'는 '두 사람의 마음이나 눈치가 서로 통하다.'라는 뜻입니다. '나'와 짝꿍의 마음이 잘 통한 상황에 알맞은 표현입니다.

8 '눈도 깜짝 안 하다'는 '조금도 놀라지 않고 태연하다.'라는 뜻입니다. 찬우가 조금도 놀라지 않고 태연한 모습을 잘 나타냅니다.

▶ 어휘력 테스트 14쪽

13회

1 ㉡	2 ㉢	3 ㉠	4 싱그러운
5 역량	6 시무룩한	7 부축했다 → 부추겼다	
8 부쳤다 → 붙였다		9 부시어 → 부수어	
10 부치	11 시달리	12 술렁거	13 물가
14 영원	15 ①		

7 '부축하다'는 '겨드랑이를 붙잡아 걷는 것을 돕다.'라는 뜻입니다. '부추기다'는 '남을 이리저리 들쑤셔서 어떤 일을 하게 만들다.'라는 뜻입니다.

9 '부시다'는 '그릇 등을 씻어 깨끗하게 하다.'라는 뜻입니다. '단단한 물체를 여러 조각이 나게 두드려 깨뜨리다.'라는 뜻을 가진 '부수다'가 알맞습니다.

15 '비키다'는 '무엇을 피하여 있던 곳에서 한쪽으로 자리를 조금 옮기다.'라는 뜻입니다. '비기다'는 '서로 실력이나 점수 등이 같거나 비슷하여 승부를 가리지 못하다.'라는 뜻입니다.

▶ 어휘력 테스트 15쪽

14회

1 어림없다	2 어우러지다	3 아리송하다	4 아련
5 웅장	6 온화	7 완비	8 알은체
9 ㉢	10 ㉡	11 ㉣	12 ㉠
13 ㉢	14 ㉠	15 ㉡	

4 '아련하다'는 '똑똑히 분간하기 힘들게 어렴풋하다.'라는 뜻입니다.

5 '웅장하다'는 '규모가 거대하고 성대하다.'라는 뜻입니다.

13 '진퇴양난'은 '이러지도 저러지도 못하는 어려운 처지.'라는 뜻입니다. 피구 경기에서 공을 피하기 어려운 상황에 잘 어울립니다.

15 '오비이락'은 '아무 관계도 없이 한 일이 공교롭게도 때가 같아 억울하게 의심을 받게 됨을 이르는 말.'이라는 뜻입니다. 우연히 컴퓨터를 고장 냈다는 의심을 받는 상황을 잘 표현합니다.

▶ 어휘력 테스트 16쪽

15회

1 발전	2 위급	3 유포	4 ㉡
5 ㉢	6 ㉣	7 ㉢	8 ㉠
9 ㉡	10 ㉣	11 ㉢	12 ㉠
13 ㉠	14 ㉢	15 ㉡	

4 ㉠ '쌓다'는 '여러 개의 물건을 겹겹이 포개어 얹어 놓다.'라는 뜻입니다.

5 ㉠ '부호'는 '재산이 넉넉하고 세력이 있는 사람.'이라는 뜻입니다.

6 '뒤로 물러나다'는 '직임이나 사회 활동에서 은퇴하다.'라는 뜻을 가진 관용어입니다. 할아버지께서 은퇴하신 상황에 어울립니다.

7 '뒤를 사리다'는 '뒷일이 잘못될까 보아 미리 발뺌을 하거나 조심하다.'라는 뜻으로 꾸중을 들을까 조심하는 상황에 잘 어울립니다.

▶ 어휘력 테스트 17쪽

16회

1 ㉢	2 ㉠	3 ㉡	4 오싹
5 여물어서	6 인위적	7 살찐 → 살진	
8 일절 → 일체		9 완고하게 → 완곡하게	
10 인증	11 오락가락	12 업신여기	13 자애
14 농작물	15 ③		

7 '살찌다'는 '몸에 살이 필요 이상으로 많아지다.'라는 뜻이므로 이 문장에 알맞지 않습니다. '땅이 기름지다.'라는 뜻을 가진 '살지다'가 알맞습니다.

9 '완고하다'는 '융통성이 없이 올곧고 고집이 세다.'라는 뜻입니다. '완곡하다'는 '말하는 투가, 듣는 사람의 감정이 상하지 않도록 모나지 않고 부드럽다.'라는 뜻입니다.

15 '우러나다'는 '생각, 감정, 성질 등이 마음속에서 저절로 생겨나다.'라는 뜻이고, '우러르다'는 '마음속으로 공경하여 떠받들다.'라는 뜻입니다.

17회
▶ 어휘력 테스트 18쪽

1 일찌감치	**2** 재정	**3** 전용	**4** 우려
5 우물쭈물	**6** 으스스	**7** 이바지	**8** 우락부락
9 ㉣	**10** ㉡	**11** ㉢	**12** ㉠
13 ㉢	**14** ㉠	**15** ㉡	

4 '우리다'는 '어떤 물건을 액체에 담가 맛이나 빛깔 등이 액체 속으로 빠져나오게 하다.' 또는 '꾀거나 위협하거나 하여 물품 등을 취하다.'라는 뜻입니다.

6 '으스스하다'는 '차거나 싫은 것이 몸에 닿았을 때 크게 소름이 돋는 느낌이 있다.'라는 뜻입니다.

13 '후안무치'는 '뻔뻔스러워 부끄러움이 없음.'이라는 뜻입니다. 부끄러운 줄 모르고 지각을 자주 하는 상황을 잘 표현합니다.

14 '가렴주구'는 '세금을 가혹하게 거두어들이고, 무리하게 재물을 빼앗음.'을 뜻합니다. 세금을 혹독하게 거두는 임금을 잘 표현합니다.

18회
▶ 어휘력 테스트 19쪽

1 조성	**2** 인상	**3** 정착	**4** ㉠
5 ㉠	**6** ㉣	**7** ㉠	**8** ㉡
9 ㉣	**10** ㉠	**11** ㉢	**12** ㉡
13 ㉠	**14** ㉢	**15** ㉡	

4 ㉡ '오르다'는 '지위나 신분 등을 얻게 되다.'라는 뜻입니다.

5 ㉡ '얻다'는 '긍정적인 태도·반응·상태 등을 가지거나 누리게 되다.'라는 뜻입니다.

6 '머리에 쥐가 나다'는 '싫고 두려운 상황에서 의욕이 없어지다.'라는 뜻을 가진 관용어입니다. 수학 문제를 너무 많이 풀어서 공부할 의욕이 없어진 상황에 잘 어울립니다.

8 '머리에 맴돌다'는 '분명하지 않은 생각이 계속 떠오르다.'라는 뜻을 가진 관용어입니다. 시의 구절이 자꾸 떠오르는 상황에 알맞습니다.

19회
▶ 어휘력 테스트 20쪽

1 ㉢	**2** ㉠	**3** ㉡	**4** 조아렸다
5 쥐어짰다	**6** 자근대었다	**7** 줄였다 → 주렸다	
8 적응되지 → 적용되지		**9** 젖히고 → 제치고	
10 조마조마	**11** 자투리	**12** 중화	**13** 유지
14 수렁	**15** ③		

4 '조아리다'는 '상대편에게 존경의 뜻을 보이거나 애원하느라고 머리를 자꾸 숙이다.'라는 뜻입니다.

6 '자근대다'는 '가볍게 자꾸 누르거나 밟다.'라는 뜻입니다.

7 '주리다'는 '제대로 먹지 못하여 배를 곯다.'라는 뜻이고, '줄이다'는 '수나 분량을 본디보다 적게 하거나 무게를 덜 나가게 하다.'라는 뜻입니다.

9 '젖히다'는 '뒤로 기울게 하다.'라는 뜻입니다. 이 문장에서는 '경쟁 상대보다 우위에 서다.'라는 뜻을 가진 '제치다'가 알맞습니다.

20회
▶ 어휘력 테스트 21쪽

1 큰코다치다	**2** 쩔쩔매다	**3** 측정	**4** 치밀했다
5 철렁했다	**6** 추스르고	**7** 청정	**8** 텁수룩
9 ㉡	**10** ㉣	**11** ㉢	**12** ㉠
13 ㉢	**14** ㉠	**15** ㉡	

5 '철렁하다'는 '많은 물이 큰 물결을 이루며 넘칠 듯 흔들리는 소리가 나다.' 또는 '어떤 일에 크게 놀라 가슴이 내려앉다.'라는 뜻입니다.

6 '추스르다'는 '몸을 가누어 움직이다.' 또는 '일이나 생각 등을 수습하여 처리하다.'라는 뜻입니다.

13 '대동소이'는 '큰 차이 없이 거의 같음.'이라는 뜻입니다. 두 사람의 실력 차이가 서로 비슷한 상황을 잘 표현합니다.

14 '고장난명'은 '혼자의 힘만으로 어떤 일을 이루기 어려움을 이르는 말.'이라는 뜻입니다. 피구 경기에서 혼자 승리를 이루기 어려운 경우를 잘 표현합니다.

▶ 어휘력 테스트 22쪽

21회

1 태동	2 통학	3 투쟁	4 ㉠
5 ㉡	6 ㉠	7 ㉡	8 ㉢
9 ㉡	10 ㉢	11 ㉣	12 ㉠
13 ㉢	14 ㉠	15 ㉡	

4 ㉡ '진화'는 '불이 난 것을 끔.'이라는 뜻입니다.

5 ㉡ '털다'는 '일, 감정, 병 등을 완전히 극복하거나 말끔히 정리하다.'라는 뜻입니다.

6 '손이 크다'는 '씀씀이가 후하고 크다.'라는 뜻입니다. 할머니께서 이웃 사람들에게 만두를 많이 나누어 주신 상황에 잘 맞습니다.

7 '손에 익다'는 '일이 손에 익숙해지다.'라는 뜻입니다. 종이접기가 익숙해서 종이비행기를 빨리 만드는 상황에 어울립니다.

8 '손을 씻다'는 '부정적인 일에서 관계를 청산하다.'라는 뜻으로 어두운 과거를 벗어난 모습에 어울립니다.

22회

▶ 어휘력 테스트 23쪽

1 ㉢	2 ㉠	3 ㉡	4 포착
5 편입	6 폭염	7 한창 → 한참	
8 축척된 → 축적된		9 초월해서 → 추월해서	
10 한나절	11 핀잔	12 표절	13 한차례
14 종자	15 ①		

4 '포착'은 '어떤 기회나 정세를 알아차림.'이라는 뜻입니다.

6 '폭염'은 '매우 심한 더위.'라는 뜻입니다.

7 '한창'은 '어떤 일이 가장 활기 있고 왕성하게 일어나는 때.'라는 뜻으로 이 문장에 알맞지 않습니다. '시간이 상당히 지나는 동안.'이라는 뜻을 가진 '한참'이 알맞습니다.

9 '뒤에서 따라잡아서 앞의 것보다 먼저 나아감.'이라는 뜻을 가진 '추월'이 알맞습니다.

23회

▶ 어휘력 테스트 24쪽

1 호들갑	2 허둥지둥	3 행성	4 험난한
5 호령	6 헛걸음	7 핼쑥	8 호기심
9 ㉠	10 ㉢	11 ㉡	12 ㉣
13 ㉠	14 ㉡	15 ㉢	

4 '험난하다'는 '지세가 다니기에 위험하고 어렵다.' 또는 '험하여 고생스럽다.'라는 뜻입니다.

5 '호령'은 '부하나 동물 등을 지휘하여 명령함.' 또는 '큰 소리로 꾸짖음.'이라는 뜻입니다.

13 '금슬지락'은 '부부간의 사랑.'이라는 뜻을 가진 말입니다. 엄마와 아빠의 좋은 관계를 잘 표현합니다.

14 '백년해로'는 '부부가 되어 한평생을 사이좋게 지내고 즐겁게 함께 늙음.'이라는 뜻입니다.

15 '중언부언'은 '이미 한 말을 자꾸 되풀이함. 또는 그런 말.'이라는 뜻입니다. 반장 선거 유세에서 자꾸 똑같은 말을 반복하는 상황을 잘 표현하는 말입니다.

24회

▶ 어휘력 테스트 25쪽

1 혼절	2 파장	3 회담	4 ㉡
5 ㉡	6 ㉢	7 ㉠	8 ㉣
9 ㉢	10 ㉣	11 ㉠	12 ㉡
13 ㉢	14 ㉡	15 ㉠	

4 ㉠ '파다'는 '구멍이나 구덩이를 만들다.'라는 뜻입니다.

5 ㉠ '향수'는 '액체 화장품의 하나.'라는 뜻입니다.

6 '입을 모으다'는 '여러 사람이 같은 의견을 말하다.'라는 뜻입니다. 마을 사람들이 모두 함께 최 부자를 칭찬하는 상황에 어울립니다.

7 '입이 닳다'는 '다른 사람이나 물건에 대하여 거듭해서 말하다.'라는 뜻입니다.

8 '입에 거미줄 치다'는 '가난하여 먹지 못하고 오랫동안 굶다.'라는 뜻입니다. 장발장이 오랫동안 굶은 상황에 알맞습니다.

MEMO

www.ggumtl.co.kr

청소년들 모두가 아름다운 꿈을 이룰 그날을 위해
꿈을담는틀은 오늘도 희망의 불을 밝힙니다.

이 책을 추천합니다.

▶▶ 평소에 아이가 책을 많이 접하고 자주 읽게 하려고 노력하는 편인데, 다양한 책을 읽다 보면 당연히 알고 있을 것이라고 생각했던 쉬운 어휘를 모르는 경우가 종종 있었습니다. 이 책에서는 한자어, 고유어, 다의어, 동음이의어 등 다양한 기초 낱말과 한자 성어, 속담, 관용어 같은 어려운 내용까지 함께 배울 수 있어서 좋았습니다.

— 이미정 (안산초등학교 3학년 학부모)

▶▶ 탄탄한 어휘력은 독해의 기본입니다. 길고 어려운 글을 독해할 때 우리는 어휘를 중심으로 맥락을 파악합니다. 그러나 탄탄한 어휘력을 쌓는 일은 단시간에 문제를 많이 푼다고 이루어지는 것이 아닙니다. 평소에 어휘가 문장 안에서 어떤 의미로 사용되고 있는지, 이를 대체할 낱말들에는 무엇이 있는지를 곰곰이 생각해 보는 연습이 필요합니다.

— 신주용 (서울대 자유전공학부 19학번)

지은이 꿈을담는틀 편집부 **펴낸곳** (주)꿈을담는틀
펴낸이 백종민 **등록번호** 제302-2005-00049호
대표전화 1544-6533 **팩스** 02-749-4151 **펴낸날** 2020년 6월 10일 초판 1쇄
주소 서울시 영등포구 당산로 50길 3 꿈을담는빌딩 **홈페이지** www.ggumtl.co.kr